走過千山萬水

汪　理著

文　學　叢　刊
文史哲出版社印行

國家圖書館出版品預行編目資料

走過千山萬水 / 汪理著. -- 初版. -- 臺北市：
文史哲, 民 97.10
頁： 公分. --（文學叢刊；207）
ISBN 978-957-549-817-7 (平裝)

1.汪理 2.臺灣傳記 3.回憶錄

783.3886　　97019967

文學叢刊 207

走過千山萬水

著者：汪理
出版者：文史哲出版社
http:// www.lapen.com.tw
e-mail：lapen@ms74.hinet.net
登記證字號：行政院新聞局版臺業字五三三七號
發行人：彭正雄
發行所：文史哲出版社
印刷者：文史哲出版社
臺北市羅斯福路一段七十二巷四號
郵政劃撥帳號：一六一八〇一七五
電話886-2-23511028・傳真886-2-23965656

實價新臺幣二八〇元

中華民國九十七年（2008）十月初版

ISBN 978-957-549-817-7

自序

我是一個在農村生長的平凡人，童年喪父，經過不少折磨；從鄉村走向城市，從中國到了美國，由美國參訪了加拿大，和亞洲、歐洲、大洋洲與中南美洲的許多國家，可以說是「走過千山萬水」；這不僅代表我的足跡留痕多處，也代表我的經歷變動多方。雖無赫赫之名，炎炎之勢，但有豐富的人生經驗，對剛起步的青年，多少有提供借鑑的作用；對在逆境中奮鬥的人，也許可產生鼓勵的作用；對嚮往健康生活的老年人，也或有可資參考之處。故不揣譾陋，將這本回憶錄刊行問世，並請方家指正。

走過千山萬水
——九十老翁回憶錄

目錄

倪復初、汪敏慎、汪理全家福

汪理與岑淑芳
夫婦合照

陝西臨潼華清池楊貴妃像

雲南昆明金馬碧雞坊

貴州黃果樹瀑布

陝西西安兵馬俑博物館

桂林漓江

日本廣島原子彈炸後遺址

韓國板門店紀念館

泰國首都曼谷

新加坡牛車水老街

加拿大本佛國家公園路易湖

佛羅里達州奧蘭多愛卜卡國際中心太空球

美國黃石公園噴泉

美國波士頓普里茅思清教徒殖民村

阿拉斯加赫巴德冰河

阿拉斯加費爾本克奇那河畔的印地安人住宅

北美洲尼加拉瓜大瀑布

夏威夷珍珠港

夏威夷人烤乳豬開爐儀式

英國泰姆斯河倫敦橋

倫敦白金漢宮衛隊換班遊行

土耳其伊斯坦堡橫跨歐亞洲鐵橋

土耳其伊菲沙古羅馬城圖書館

瑞典王宮衛隊換班遊行

俄國莫斯科紅場

希臘山托里尼島上山城

多瑙河遊輪藝術號

挪威峽灣

墨西哥旅遊勝地阿柯波可

墨西哥土風舞

遊輪通過巴拿馬運河

俄國聖彼得堡沙皇夏宮花園

南美洲伊瓜蘇大瀑布

哥斯達里加火山國家公園的火山口

大溪地水上旅館

澳洲悉尼大橋與歌劇院

紐西蘭毛利人土風舞

名人遊輪公司巔峰號游泳池

第一章 家世

雲南省華寧縣汪氏家族，都集中在瓦窯鎭，而且幾乎所有族人在過去都是以經營陶器業爲生，我的祖父母就是以燒製陶器白手起家的，我一向都對我們家族的來源有興趣，因爲沒有汪氏宗祠和家譜，無法找到答案，在辭源字典裡「汪」字的註解中說：「姓，魯成公支子，食采於汪，因以爲氏，唐汪華封越國公，世居於歙，其族最繁」，看了這短短的幾句註解，使我想到華寧縣的汪氏祖先，可能是從安徽省的歙縣附近遷來的。

一九九九年十月，我們夫婦倆參加了一個到黃山、長江三峽、重慶和昆明觀光的旅遊團，在黃山市時，當地導遊帶領我們到徽州區的潛口民宅博物館去參觀明代的民宅建築，其中一棟名爲「樂善堂」的古宅，是汪家的一棟四合院兩層樓房，底層中堂裡掛有一張明先祖神像，我在那裡遇見了一位在商品部工作的汪姓職員，他給我們作了簡短介紹，並說在黃山市轄區內，姓汪的很多，祁門附近還有一個汪村，該區盛產陶器，這使我聯想到在華寧縣從事陶業的汪氏家族，與在黃山市轄區內從事陶業的汪氏族人可能有親密關係，後來經他介紹，我付費請當地的族長第九十二世孫汪大道君摘抄了一份「潁川溯源」的族譜，從汪氏得姓的第一世始祖魯潁川侯開始，列舉歷代以長子爲傳人的家譜，上面所說的越國公汪華就是汪氏從中原南度後，在安徽績溪出生的第四十四代孫。

華寧瓦窯鎮汪姓是否爲汪華公的後裔很難確定，據與我同輩的汪法祖君獲得的資料，據說瓦窯鎮汪氏始祖是南京應天高石坎柳樹灣人，於明朝初應徵到雲南，在建水縣水后所屯墾，嗣又遷至華寧瓦窯鎮定居，由第一世祖汪大奎公歷代傳承，到我祖父汪汝楠公，已是第十二代。

我曾聽鄰居的周姓人家說，他們的祖先也是從南京高石坎移民來的，很可能高石坎是一個移民站，在明朝初移民實邊時，由這裡啓程，不是這些移民的眞正家鄉，所以瓦窯鎮汪氏祖先的原籍是何處，是一個謎，祇可說是在江蘇省和安徽省一帶。

我的曾祖父汪紹宗公早逝，他和曾祖母方氏育有四子二女，長子汪汝舟是清朝末期的秀才，我祖父汪汝楠字仲山排行最小，沒有機會上學，就去做陶藝學徒，與我祖母仲氏結婚後，就開始自己燒製陶器，在那個沒有銀行和錢莊的時代，在華寧縣有一種類似信用合作社的集資組織，叫做「蟲會」，由信用好的人邀約一批可靠的人家參加，每季舉行餐會一次，把骰子放在一盒子裡，由每家代表搖後開盒，紀錄點數，名叫「搖蟲」，點數最高的是贏家，把各家所出的股金，全部給他，第一次的「蟲會」叫「狀元蟲」，以後每次集會都有贏家，已經贏過的就不能再「搖蟲」，而且他除繳股金外，還要加付利息，所以下一次的贏家，其所得數額要比上一次贏家所得的多，直到最後一家贏了「蟲會」才解散，我祖父參加了一個「蟲會」，贏了「狀元蟲」，有了資金擴大生產，辛苦經營了幾十年，除供給我伯父和父親到昆明升學外，還買了田產，他和祖母年老退休後，在鄰近的上村買了房地產，並在我出生的那一年—民國七年（一九一八年），建蓋了一座有兩層樓的四合院，我就是在這座四合院中成長的。

在我祖父母的六個子女中，我伯父汪有勛和我父親汪有福（字澤普）是最小的兩個，是他們年過四十歲後才出生的，所以我大姑母的兒子，比我伯父還大幾歲，我伯父在雲南省法政專門學校畢業後，參加遠征廣東的滇軍，擔任文職，中途病故於廣西的桂平，他衹有一獨子汪璽，在祖父辭世後，由我父親管教，把他當作下一代的長子，我們都叫他大哥，而我雖是我父親的長子，卻被稱爲二哥，他比我長五歲，婚後在家賦閒，共產黨建政後，被清算鬥爭而死，他有三個兒子和四個女兒，後人很多。

我父親是昆明的雲南省立舊制中學畢業，他和我母親宋銀珍結婚後，因祖父母年邁，而留在家中管理家務，那時國民政府成立不久，袁世凱稱帝被雲南省督軍唐繼堯和蔡松坡將軍起義反對而失敗後，中國四分五裂，軍閥混戰，而雲南在唐繼堯死後，他屬下的幾個軍長，也因爭權引起內戰，民生凋敝，土匪蜂起，華寧動盪不安，縣官也趁機搜括，環境非常惡劣，我就是在這時期民國七年冬月十五日即西曆一九一八年十二月十七日在華寧縣上村出生的，已是華寧縣汪氏的第十四代。

第二章　苦難的童年

據說，在我出生前後那幾年，是我母親最受苦的時段，假如沒有我祖父的支持，不知會有什麼後果，由我母親與我伯母長久不交談一事裡可以看到一點端倪，我出生後的十年裡，也是盜匪充斥，官吏貪污勒索最嚴重的年代，我還記得在我四歲左右，每當聽到土匪幫在行軍中打鑼的聲音，村裡的人就慌張起來，我就被藏進竹林裡去躲避，我們的村子雖然也有圍牆和砲台可以防守，但若匪幫衆多，有時達數百人，還是不安全，就在我約六歲那年，我父母就帶著我們搬進華寧縣城裡賃屋居住，不久我祖父在家裡病故，出殯時還僱請武裝衛隊沿途保護，那時匪幫甚多，除與官軍守衛隊交戰外，匪幫之間也常發生火拚事件，有的匪幫向官方輸誠，官方接受他們叫做招安，爲了取信，匪幫必須到城隍廟發誓歸順，我家租住的房子，就在城隍廟街，記得有一天，一群土匪經過我家門前去城隍廟發誓時，我們在門縫間偷看，祇見那些土匪全身穿著都是黑色的，衣襟正面開合處有一排銀紐扣，頭上帶一平頂用黑布編成的「套頭」，肩上掛一枝盒子砲，與一般的軍人服裝完全不同，他們祇是一群烏合之衆，沒有編隊，匪首騎馬走在前面，部衆祇是跟著他走。

由土匪投誠後變成的招安軍，也是目無法紀的，他們雖不再明目張膽的搶劫，還是強徵勒索，不顧人民死活的。有一天，突然有一小群招安軍敲打我家現住的那棟房子大門，房主人不敢開門，過了一會兒，幾個招安兵突然出現在屋頂上，強迫屋主讓他們借住幾天，大門打開後，他們的頭目帶著十幾個兵一起衝進來，把所有人都嚇了一跳，這個頭目是個鴉片煙癮君子，房主人家也有吸鴉片煙的，於是邀請這頭目吸了幾口鴉片煙，他很高興，態度馬上改變，房主人就把他們安頓在正廳屋裡住下，當晚他們自己炊食，還把他們在鄉下搜括來的豬肉送些給主人家和我家，從此平安無事，直到他們離去。

幾個月後，我父親另租了一棟房子，剛搬進去不久，我們的村子上村就被一股強有力的匪幫在內奸幫助下攻入，我祖母當時留守家中，急忙躲進我家後園的一深坑內，夜間奮力爬上圍牆，準備逃出村外，以免被土匪綁票，但她老人家是纏足的，攀登不易，結果跌下，斷了髁骨。勉強爬行到一鄰居家，僞稱是他家的老人，土匪未加追問，得以由救護人員揹進縣城，與家人團聚，延醫治療。同時村中的土匪則大肆勒索尋覓錢財，在我家的地上和牆壁上挖了很多洞，以爲可以找到埋藏的銀錠和銀元，並用鋸子鋸了我家四合院的幾根柱子，和用刺刀在紗窗上刺了幾個洞，幸而沒有放火，我們的家得以保存。在土匪佔領期間，常與守縣城的官兵相互射擊，因上村與縣城相距不到一華里，彼此都有戒心，土匪在搶盡所有財物後，就自動呼嘯而去。

不僅土匪作亂，貪官也趁機勒索敲榨，因爲我家是地主，在家鄉算是有錢人，所以成了貪官的眼中肉，在劣紳的指引下，橫加以莫須有的罪名，把我父親關進牢裡，開口要贖金，我家送禮請相熟的紳士關說，討價還價，我父親在牢裡住了十幾天，付清勒索金後始獲釋放回家。在他坐牢期間，牢裡是不供飯的，必須由家人送飯去，我就是每天送飯給我父親的人。記得每次去時，都要央求獄吏把門上的小窗打開，把新鮮的飯菜送進去，交給我父親，再把用過的盤碗帶回家，看到他那憔悴和怒氣的臉色，至今仍歷歷在目。

出獄後，為了安全和不再被勒索，我父親就帶著我母親，三個年齡三歲到七歲的弟弟和我伯母的獨子到雲南省會昆明去避難，而把我留在家鄉，陪伴我祖母和伯母，那是一九二七年土匪仍很猖獗的時候，記得當時有兩個已招安的匪幫，都住在縣城裏，其中一個已從良的匪首是本地人，以前他衹到其他城鎮去搶劫，而沒有在本地搶過，大概是受到縣官的支持，他圍攻另一幫的招安軍，展開火拚，在城裡巷戰，我們都嚇得不敢出街，衹聽說在街上躺著多具死屍，另一幫招安軍全被消滅，但同時在距城約二十華里的一個山區，崛起了一個彝族的匪幫，在附近打家劫舍，綁架勒索，非常猖獗，而且用各種非常不人道的酷刑，殘害肉票，威嚇肉票家人用巨款去贖人質，我的一個遠房堂哥，就在一個小鎮的夜晚被綁票，在土匪窩裡受了很多酷刑，如坐飛機，手指甲插針，吊打等等，脅迫他父親出高價去贖回，他父親無力照辦，這樣拖了幾個月，最後匪幫威嚇說，若再不去贖，他們就要把他從高崖推下去跌死，他父親衹好告貸和出賣家產，去把他贖回來。

這個混亂的局面，直到省主席龍雲在內戰中獲勝後才好轉，他開始派兵剿匪，上面所說的這個彝族匪幫在官軍的圍攻下被迫躲進一大山洞內，官軍把山洞包圍，匪幫殘部在糧盡彈竭後，由匪首率領，想從洞內衝出逃走，結果被官兵全部射殺。據說官軍事後搜索匪窟，獲得很多白銀黃金和手飾，也在一座高崖下發現了許多白骨，那就是家人無錢去贖身而被匪幫從高崖上推下去跌死的肉票。

匪亂平定後，我父母帶著三個弟弟和一個在昆明出生的妹妹返回華寧，仍住在城內租的寓所，我祖母和伯母則搬回上村的老家，先住在老住宅內，較新的四合院在全家搬入城內避匪時，已用土磚將大門封閉，直到我們全家準備搬回時才拆封，院子裡已長了很多野草，接著我堂兄在昆明讀中學沒有畢業就回家結婚，兩年後我父親病故，享年三十六歲。我當時才十三歲，依照舊俗，去世的家長或老人的靈柩，要擺放在房子的中堂內，兩旁掛起白布幔，前面有香案，以供親友前來弔唁，然後才擇吉日出殯安葬。每當親友在靈柩前行禮時，孝子必須在柩旁布幔前磕頭回禮，我是長子，這就是我的任務，當時我兩膝都生濃瘡，每次跪下都痛苦不堪。出殯那天，孝子和親人都要披麻帶孝，跟在靈柩後匍伏而行，還要讓眼淚鼻涕流著，才算是盡了哀悼的義務。在前往墓地途中，還要三停三祭，最後才到墓地，根據風水師的指示，掘穴安葬。記得在出殯途中，我二姑母先把幾粒茶葉塞入我口中，然後再拿一點糖給我吃，並對我說，這就是先苦後甜，現在是你苦的時候，將來你會有甜的日子。

我父親死後不久，我家就分家，把我祖父母白手起家的家產分給我們兩家。我祖父母有四個女兒和兩個兒子，當時的習俗，已出嫁的女兒是沒有份的，所以祇有我伯父和我父親兩人的家屬有繼承權，我已去世的伯父是長子，他的獨子可以分得一半多，我家雖人數很多，分得的卻比他少，同時我祖母還健在，兩家都必須拿出一部份供養我祖母。分家之後，我就從小孩變成了準成人，在我母親的指導下，處理家務。因爲我母親不識字，又纏足，行走不便，所以凡是要與官方和佃戶接洽的事，都由我去辦。我母親常告誡我說，你就像一個馬幫的帶頭騾，是你弟妹的先驅，你必須做他們的榜樣，帶他們向好的方向走，從此我就變成了準家長，我的弟妹都很尊敬我，我也很愛護他們，一直到老。

在以上所述的大環境中，我的生活與學習經歷也有很多值得回憶的。以前提到過，我母親和伯母是不和睦的，祖母對我母親也不十分友善，但她們兩位對我都很愛護，我伯母早年喪夫，她的獨子比我大五歲，比較獨立，所以她到親戚家去小住時，常把我帶去，在我父母去昆明避難期間，她就是我的扶養人，我從她那裡得到了童年的愛。祖母對我也很關心，在不同時間裡，我都和她們睡在一起，那時因匪亂經濟困難，營養不良，我常生病，都是她們照顧我的。

我父母對我就很嚴厲，也許因爲身邊子女太多的緣故，他們從昆明搬回華寧後，我就和祖母與伯母分開，與父母弟妹同住，那時我家沒有佣人，全部日常家務如炊膳、買菜、洗衣、擔水等等都得自己做，我是老大，就得幫助我母親，我妹妹那時還是嬰兒，我就常是她的看守人，常揹她出去玩，我也是家裡的跑腿，可是我是個喜歡東跑西跳的小孩，常被責罵挨打。有一次我與弟弟們玩耍爭吵，打擾了我父親的睡眠，他起來痛打我一番，還要罰跪，使我終身難忘。但有時他又特別照顧我，因爲我體弱多病，他會買補藥給我吃，我當時很難理解，後來我在大學求學時，有一年暑假回家，翻看我父親留下的書橱時，突然發現兩張算命單，是我父親寓居昆明時請當時有名的命學家替我算命的結語，其中一張的全文是：

「詳查童造、羊刃相隨，非常人之命，年月逢沖，少小過繼移根，四柱剛強，過繼免傷六親，殺刃相停，主於聰明性急，青年得志，顯達功名，先求名，後求利，發福好子孫。」

我猜想，這個命單對我父親的心理狀態有很大影響，他在昆明時，與一個知道算命的人交好，也看了一些算命的書籍，所以他很相信算命。我的那張命單上說我會剋六親，他當然首當其衝，自然很憂慮。據我母親說，我父親一度想把我過繼給別人做兒子，但沒有實現。我想也許是因爲命單上說我是個「發福好子孫」，他不願把我送給別人的緣故，他這種矛盾心理，也許就是他對我態度兩極化的主因。

我的學校生活是在我家搬進縣城避難前開始的。民國成立以前，華寧的城鄉祇有私塾，主要課程是讀三字經千字文和四書，民國於一九一一年成立後，才開始設立公立小學，我是民國七年出生的，所以進了村裡的小學。那時在村裡進學校，算是一件大事，我家所在的上村，不到一百家戶口，除我家和另一家姓周的而外，全是農民和牧民，百分之九十以上都是文盲，一般小孩都是跟著成人下田上山，或在家中做雜務，沒有機會進學校，也不肯離開父母到學校去受嚴厲的老師管教，所以那時的上村小學，祇有一位老師，二十來個學生。爲了安撫新學生，在開學的那天，老師都準備好糖果給新學生吃，以減低新生的恐懼。教室是設在上村寺的一間房裡，除黑板外，沒有其他設備，書桌和木凳都要由父母送到教室裡去供自己的孩子使用，還要交納一點費用，自己買書和文具，所以能夠進小學的人更少了。那時沒有幼稚園，從一年級開始，我是五歲那年去進上村小學的，但祇過了幾天，因爲頑皮，被老師打屁股，我就哭著回家不願再去上學，隔了一年才回去讀一年級。老師是私塾訓練出來的，非常嚴厲，每天都要學生練習書法和背誦課文，如果不能背誦或在休息時大聲吵鬧，就要被體罰或打手心，或扭耳朵，重則打屁股或罰跪，所以學生都很怕他。

我家搬進城去避難時，我就轉學到城裡的小學二年級，這是一所完整的小學，設備還好，桌椅齊備，學生祇需買書和文具，不須交學費。老師多半是省立師範學校的畢業生，但也有過去私塾訓練出來的，素質比較高，教學也很認眞，雖然對學生沒有上村小學老師那樣嚴厲，體罰還是有的，但打屁股就很少了。課室是分開的，每班一課室，沒有清潔服務員，要學生自理，所以每班學生都分成幾組，輪流在下課放學時打掃教室，那時的教室地板是用泥土築成的，地上灰塵很多，打掃前都要先灑水，不過還是埃塵滿天飛，很不衛生。

我唸四年級的時候，父母親從昆明回到華寧，那時華寧縣立中學已成立，招收了第一班，我唸完五年級時，縣中招收第二班，我的老師向我父親建議，讓我跳過小學六年級，去進縣中第二班，是班上年紀最小的。縣中的師資較差，都是省立師範學校畢業的，設備幾等於零，除有幾份小動物標本外，沒有化學物理和生物等方面的任何儀器和設備，老師講課是照本宣科，學生祇看教科書裡的照片圖樣，和死記公式。英文老師自己都不大懂英文，可以說是瞎子牽瞎子，所以除國文、歷史、地理與數學外，其他的程度都很低。那時我剛進入少年叛逆期，覺得上課枯燥無味，不時逃學，和另外幾個同學打紙牌賭博，所以成績不好，直到二年級時，我父親病故，我才覺得事態嚴重，不能再鬼混下去，於是開始用功求學。

初中應該是三年就畢業的，可是當局說我們這一班要改爲初級師範班，需要唸四年，所以多讀了一年。那時雲南省教育廳規定初中畢業時，要經過會考及格，才能畢業，於是我們一班約二十人，就由主任導師率領去昆明參加會考，先步行六十華里到盤溪，再乘火車到昆明，住在一小旅店裡，與昆明的省立初中和附近幾縣的初中生共赴考場參加會考。放榜時，我們華寧縣中的，沒有一個名列甲等，祇有少數名列乙等，其餘的都是丙等，我算是名列乙等之一。會考完後，我就留在昆明，進夏天的補習班，準備參加高中的入學考試。

我在華寧生長期間，雖然經歷過不少苦難，但也有苦中作樂的時候，尤其是當時的鄉村生活，到現在回憶起來，仍覺津津有味，美國有句俗話，你可以從鄉村裡帶走男童，但你不可能把男童體內的鄉村拿出來（you can take a boy out of the country, you can not take the country out of a boy），可以說明這點，當時的華寧縣城所在地，是一個四面皆山的小盆地，祇有小河，沒有公路，沒有電燈，也沒有自來水，是一個落後的鄉區，在明朝以前，是由土司統治，沒有官府，所以還流傳有改土歸流時的一些故事，社會經濟變化很慢，民風也很保守，一般農民還過著「日出而作，日入而息」的生活，我家住在城北約一華里的上村，座落在一小山坡上，四面有圍墻和碉堡，我的家是在村子的最西邊，有一個寬廣的後園，除三分之一是種蔬菜用外，其餘的都是柏樹，有加利樹竹林和水果樹，村子的左邊緊接著陶業中心瓦窯鎮，前面和右面是農田，後面是小山，山後是梯田，梯田之下是一條小河，這些地方，就是我兒童時期遨遊的空間。

兒童最需要的是玩具，那時華寧城裡的商店，沒有任何玩具出售，祇有過新年時，爆竹攤上有一種爆竹手槍可買，它的槍柄是用軟木雕成，類似左輪手槍，槍管長約三吋半，是用舊洋傘柄的金屬管製作的。玩時先把一小爆竹倒裝入槍管，引線從槍管下方拉出，然後再把另一小爆竹的引線剪去一半，倒插入槍管內第一顆爆竹的後面，發射時，用火燃引線，對準目標，第一顆爆竹爆炸後，把在它後面的爆竹射出十幾尺之外，第二顆爆竹再爆炸。我每年得到的壓歲錢，就是用來買它和其它煙火來玩的，除此之外，其餘的玩具都是自己親手做的。我家後園的竹子，就是用來製作風箏和竹子槍的材料，柏樹枝是我們用來雕刻陀螺的木材，放風箏和抽陀螺就是我們消遣的一部份。

養鳥和鬥蟋蟀也是我的愛好，我不僅在家裡養鴿子，在鴿子尾上裝上自己製作的哨子，把鴿子帶到田野間放回，哨子在空中發出聲音，很覺悅耳。我還和其他小朋友爬樹到鳥窠去捉幼鳥，在自己編製的鳥籠內飼養。有的鳥可以學人語，有的可以鳴唱，煞是有趣。有一種蟋蟀，公的頸上有一條金線，最喜打鬥，它們的窩多半在田野的小洞內，或河中沙灘的石頭下，不時在洞口鳴唱，以吸引雌蟋蟀。我們就在日裡或夜間循聲去捕捉，養在缸內，一有機會，就與其他同好聚在一起，把兩個公蟋蟀放在同一盆內，引導它們接近，張開大齒互相咬鬥，直到其中一個獲勝爲止。

到河裡游泳和摸魚，也是一樂。那時沒有游泳池，一般男孩都是到河裡學習游泳，在河道轉彎處，水比較深，可以學習各種游泳技能，還可在石縫間捉魚，煞是有趣，也是鍛鍊身體的好運動。還有在那個年代看到的三件事，也值得一提，一是纏足，二是種鴉片煙，三是少數民族風情，女子纏足的風俗，在中國已流傳了幾百年，被認爲是女性美的一種表現。所謂三寸金蓮，當時是一般人所企盼和叫好的，其實是對女子的一種摧殘和折磨，既不健康，也不衛生。記得我家鄰居的一個女孩，比我長幾歲，到十歲左右開始纏足，用一條寬約四英吋長數英呎的布，把腳上大腳趾以外的足趾緊緊束縛起來，使她痛得常常呼叫，纏足布幾天不換就會發臭，所以每隔幾天就要換洗再纏，如此成年累月，腳不能正常發育，使大足趾以外的足趾向下向內彎曲，走起路來搖搖擺擺，被認爲是一種美。但這種風俗，不僅妨礙女子的健康，也限制了她們的活動，是對女子的一種虐待，所以在我進初中時，政府發起放足運動，那時華寧縣城每隔兩天就有一天市集，叫做趕街，四鄉的男女都到城裡買貨賣貨，他們進城時都要經過城關，於是政府就指派中學生中年紀較大的，在趕街那天到城關等候，若發現有纏足的女子進城，就強迫她們把裹腳布解下拋棄，這樣一來，許多纏足女子就不敢進城做買賣，由此纏足之風便被消除。有些已纏足的女子，則逐漸解除裹腳布，但足趾已經變型，不能恢復成天足，有人謔稱爲改組派。

在我離開華寧到昆明去唸高中前，鴉片煙還很盛行，並被認爲是社交中不可少的東西，若有客人到訪，就得請他們臥在鴉片煙床上抽三口才算是有禮貌，所以很多人家都備有抽鴉片煙用的床，煙槍等，即使自己不吸也得具備，因爲當年鴉片煙如此盛行，而且雲南的土壤與氣候，對鴉片生長特別好，使雲南產鴉片煙馳名全國，叫做雲土，所以種植鴉片，就成了農民的主要經濟作物。每到春天，田野裡可以看到白、黃、紅、紫各種鮮豔的罌粟花，非常漂亮，花謝後的罌粟果，就是鴉片煙的來源。日落時，種植鴉片煙的農民，用很短很小的雙片刀在罌粟果上，從下到上劃一刀，白色液汁就慢慢從果皮上流出，次日清晨，農民拿著一枚小刮刀和一個竹筒到田裡去，把罌粟外皮上的液汁用刀刮下，放在竹筒內帶回家，另裝入一小瓦盆內，放在太陽裡晒，煙汁便漸漸變黑，等水分蒸發後，就變成軟糖形的鴉片煙膏，可以拿到市場上去求售。每個罌粟果可以重複劃五六次，液汁出完後，就讓它成熟，裡面的罌粟子可以食用。我在童年時，常到相熟農家的田裡去摘已成熟的罌粟果，吃它的種子，吃多了就會頭暈，足見在罌粟子內仍含有一點鴉片的成份。

鴉片之害，以前很少人知道，有人是在社交中從吸三口開始慢慢上癮的，有人是用鴉片治病如咳嗽、肚瀉等而上癮的，凡已上癮的人，每天夜間常抽鴉片到深夜，而且要吃點心，花費不少，白天睡覺，不工作或少工作，收入不夠支出，敗家的很多。我們村子裡有一地主，就因吸鴉片而把地產和房產全部賣光，最後淪爲乞丐。以前英國人把鴉片煙從印度輸入中國，使得中國民窮財盡，所以林則徐大力禁煙，焚燒英商的鴉片煙存貨，是很有道理的。他雖然因此引發鴉片戰爭，而遭腐敗無能的滿清政府撤職，貶到新疆，但他的壯舉，是值得全中國人敬仰和歌頌的。

在蔣介石委員長提倡新生活運動之後，七七事變之前，雲南才開始禁煙，農民不得再種植鴉片，市面上也禁止銷售鴉片煙，但在南部邊陲地區，還是有人偷種，各地仍有人偷售，吸鴉片的人雖少了許多，但有人仍暗地偷吸。直到今天，鴉片煙雖已是嚴禁的毒品，但偷種偷運偷售偷吸的，仍大有人在，是一個很難徹底解決的問題。

少數民族的風情比較特別，以華寧地區來說，小盆地上住的絕大多數是漢族，四面山間的住民，幾乎全是少數民族，以彝族爲最多。彝族女子的服裝與漢族完全不同，她們都是天足，能夠上山砍柴，下田種地，很能吃苦耐勞，彝族青年男女，可以自由交往，性關係比較隨便，幾對青年男女，可以預約夜間在遠離村寨的小廟如山神廟裡幽會，俗稱「吃火草煙」，由男的購買食品和煙草等攜往幽會地點，男女相對唱情歌，女的向男的敬煙，直到午夜後始散，由男的送女友回家，在途中就盡情歡愛，這種幽會，婚前婚後都有，但已婚婦女，如果紅杏出牆而被發現，就會被丈夫毒打。有一次我到一個山寨收田租，看見在晒穀場的木杆上吊著幾個男子，鼻涕口水往下流，大概是鴉片煙癮發作，旁邊有幾個男子監視。我問其中一人，是何緣故，他說他們本村的幾個已婚女子，被另一村的現在被吊在木杆上的那幾個男子約去幽會「吃火草煙」，被他們當場捉獲，帶回本村，加以鞭打，並把那幾個男的吊在木杆上示衆，女的則被她們的丈夫痛打後關在家裡思過云云。這種「吃火草煙」的情調偶爾也有漢族男子去嘗試，在我們村後小山上的山神廟裡，有時就有這種幽會，如有微風吹向我們的家園，在深夜可以聽到他們的歌聲。

第三章 高中時代

初中畢業會考後，我留在昆明進暑期補習班，然後報考高中，考入昆華農業職業學校的第十三班森林科。當時的農校有三科，即花卉園藝科，農作科和森林科，每年祇招收一科，當年輪到森林科，因爲是職業學校，所以課程除國文、數學、物理、化學和生物學等基本學科外，其餘的幾全是技術課程，如森林植物，土壤學，氣象學，測量學，果樹園藝學，畜牧學，森林保護學，測樹學等，沒有歷史和地理，英文祇有一年必修，一年選修，與一般普通高中完全不同，所以畢業後很少有進大學的。我當時也沒有上大學的奢望，祇希望將來能找到一塊山地，建一個小林場足矣。

在農校的三年裡，有幾件事，值得一提，第一是一年級第二學期，我生了肺炎，幾乎病死，當時高中生必須住校，接受軍事訓練和管理，住的是兩人一間的宿舍，吃的是大鍋飯，我先是感冒，還要勉強參加每天清晨的軍事操，校醫是兼差，很少到校裡診病。所以病情惡化，有人建議去看一有名氣的中醫。第一次請假去求診時，祇見診室內坐滿了病人，醫生一面診脈，一面口授他開給前一病人的藥方，就像流水一般。我到中藥店買了配方藥帶回校裡，還要找瓦罐，拿到大廚房去煎煮，才能服用。如此這般的去看了幾次中醫，不僅缺乏效果，而且病情日趨惡化，不得已由一同學陪我去看西醫周伯雄醫生，他是香港大學醫學院畢業的，在市內開診所，並附設藥櫃，診後就自己或由助手配藥給病人服用，當時沒有盤尼西林，更無其他的抗生素，他就用他藥櫃裡的幾種藥水和藥粉配給我服用，過了兩週左右，肺炎就逐漸消退，不祇救了我一命，還使我能夠參加一年級期末考試，得到高分。班主任秦仲虔先生在發給家長的通知單上，還稱讚我的成績，並發給五十元獎學金。但註明「以後要注意身體健康」。周伯雄醫生也囑咐我說，爲了保護我的肺部，不能吸煙，所以我從來都不吸煙，當年放暑假回家身體仍很虛弱，走路無力，經過一個多月的調養，才逐漸恢復健康。

上面提到的軍事訓練和軍事管理，是在日本軍閥於一九三一年佔領東北三省，建立僞滿州國，繼續向華北侵略後才開始的，爲了抵抗日本侵略，培養青年軍事知識，以作後備軍人，政府規定所有公立高中，都要實施軍事訓練和軍事管理。以我們昆華農校來說，高中三班編爲一總隊，下面每班學生約三十人編爲一分隊，總隊長和分隊長都是職業軍人，著軍人服裝，我們學生則照規定自備制服、制帽、徽章和綁腿，兵器則是已經報廢的步槍，訓練節目是每週五天，清晨六時吹號起床，整理「內務」，把棉被疊成豆腐乾形狀，放在床中央，並在十五分鐘內盥洗完畢，打好綁腿，穿上制服，然後帶著步槍到操場集合點名編隊，開始做軍事操，從稍息、立正、向左看齊、向右看齊等基本動作做起，逐漸增加其他軍事動作，到高年級時還會在週末行軍到野外戰地訓練，但實彈射擊則祇有一次。每天軍事操約一小時，結束後，集體到飯廳吃早餐（有一段時間規定必須在十分鐘內吃完），再準備於上午八時上課，晚上八點到九點自修，十時吹號就寢，這就是當時所稱的普通軍訓。

至於軍事管理，除按時作息外，不許走出校門，校門有衛兵把守，每週祇有星期日可以外出，其他時間若要出校門，必須先獲得許可，並須於規定時間內返校，若私自偷出校門，或不按時返校，一經查獲，就要受罰，若無病假，而不參加軍事操，更要受重罰，每天都要把床舖弄得整齊，清潔，叫做整理內務，還不定期派教官檢查內務，若不合格，就要受申斥。出校門一定要穿制服，碰見師長要舉手敬禮，每隔一段時間，就要檢查槍枝，槍管必須擦得光亮，才算合格，要把槍看成第二生命，持槍操練時，不許帶手套，因此每年冬天，校外操場上蓋滿白霜，在霜上持槍操練，我的手和腳都生了凍瘡。

高中三年的生活雖然嚴肅，但也有輕鬆的一面，可以說是學森林的一點好處，那就是到校外實習。在日常課程中，每週都有半天到農校的實驗農場去實習，農場位於昆明市大西門外的田野間，裡面種有許多水果樹，四面田裡種有農作物，實習的項目包括整地，燒骨灰，施肥，移植種苗剪枝等等。我們一到實驗農場，就看看是否有成熟的水果，若有，先摘水果吃，再去做實習工作，感覺非常輕鬆，也可藉此走出校門，作一點自由活動。另有其他實習，也很有趣，有一次教果樹園藝學的老師帶領我們乘火車到呈貢縣的果園去實習，那裡出產的寶珠梨，肉質雪白而多汁，非常有名，但後來經過土改農業集體化及文化大革命等的摧殘，現在已近絕種，十分可惜。另一次是由畜牧學的老師帶我們到他經管的牛奶場，養有許多荷蘭牛，從擠奶消毒到裝瓶一條龍作業，使我們大開眼界，他除講解鑑定乳牛的優劣外，還親自把手插入已懷孕的乳牛的陰道內，探摸胎兒的部位與發育情況，並叫我們一試，非常難得。

更值得懷念的是到山中森林去實習，這是三年級時的課程，由金陵大學畢業的呂方白先生主持。第一次是由昆明步行到安寧溫泉附近的松林去實習，住在一座已去世的將軍的別墅裡，山坡上都是松林，白天在松林裡做實習工作，夜間則下山到溫泉洗澡，和在小店小酌。小飯館裡有一種下酒菜，叫炸沙蟲，非常可口，據說是從河邊沙灘裡挖掘來的秋蟬幼蟲，酥炸後，體內的乳漿變成豆腐狀，外皮酥脆，有特殊風味。當時的河水清澈見底，魚蝦都有，岸上楊柳垂蔭，並有水輪車從河中抽水灌田，風景很好。想不到四十五年後，我第一次回國探親時，再去安寧溫泉遊覽，一切都已改觀，沐浴池內四圍都是污垢，河裡都是漂浮著泡沫的污水，魚蝦絕跡，不再有那美味的沙蟲了，其污染的嚴重，實令人咋舌。

到山上森林裡實習也有想不到的危險，這就發生在到筑竹寺附近森林中去實習的時候。李方白先生帶著全班同學步行到二十華里外的名勝筑竹寺，住在寺內，當晚夜間就被土匪搶劫，所有同學帶去的毛毯，手錶，錢包，收音機等等，全被搶去，有的同學還被打傷。第二天早上，大家祇好狼狽回校，我那時是全校排球代表隊的隊員，要留在校內參加校際排球賽，沒有參加去筑竹寺的實習，倖免一難，當時的省主席龍雲，聽到學生上山實習被搶的消息，大爲震怒，下令必須破案，嚴懲匪徒，派偵探四處循線搜捕，最後捕獲四個匪徒，押解到昆明受審，判處死刑。行刑當天，先把四匪五花大綁，背上插著犯罪名牌，遊街示衆，押解至城外刑場槍斃，我們都到昆明街上觀看，總算得到了精神上的補償。

當時的雲南省，交通相當落後，鐵路衹有一條由越南河內到昆明的滇越鐵路，是法國統治越南期間，爲了向雲南擴充勢力範圍而建築的軍用鐵路，是窄軌，隧道很多，車速很慢，是當時由雲南到香港上海和北京的主要通道，由法國人經營管理。公路衹有西至大理，東至貴陽的兩條幹線，都是碎石路面，在昆明市內，擁有汽車的，衹有少數高官和富商，有摩托車和名牌自行車的也不多，倒是出租舊自行車的小店則不少。到了週末，我們星期日放假，可以自由出校，就常到小西門外租自行車到市郊的公路上練習，並不時騎自行車往大觀樓和海源寺去遊玩。有一次去海源寺時，我的自行車爲了避開路上的石頭而失控，跌倒在公路上，兩手掌被碎石擦破，流血很多。回校後未去看醫生，自己買碘酒擦傷口消毒，疼痛不堪，忍痛擦了幾天，傷口才開始癒合，直到現在，兩手心上仍留有疤痕。

那個時代，由小學升初中，要經過考試，由初中升高中，也要經過考試，有的同學或因遲進小學或因累次考試落第，而變成超齡學生，所以同班同學中年齡相差多至四歲或五歲，於是就常有年長學生欺侮年幼同學的事件發生。我們高中同班中就有兩名惡霸學生，因爲有軍事教官管束，他們在校內不敢太囂張，而在校外與流氓結交，想藉此在校外威嚇與他們發生衝突的同學，這種行徑，也許在當時的昆明才有。

第四章　前途的選擇

一九三六年我高中畢業，馬上面臨的問題，就是前途的抉擇，回家鄉代替我母親照管家務，找個教初中或其他的地方工作呢？還是準備考大學呢？都有許多要考慮的問題。我母親認爲我是長子，照家鄉的習俗，應該回到家鄉結婚，留在家中主持家務，所以她極力主張我回家準備結婚，在縣城裡找個工作。但我對當時家鄉的政治和社會環境，如劣紳與貪官勾結歛財，士子互鬥，爭權奪位，非常不滿，不願與他們同流合污，所以決定要離開家鄉，去考大學，到外面求發展。祇是有個問題，我有三個弟弟一個妹妹，都要升學，我家分家前，在縣裡算是富有人家之一，但分家後得到祖父母留下的遺產，並不足以供給我們去上大學，除非能考取大學，而且獲得公費生的待遇，否則此路就行不通。幾經思索，並和母親商討，最後採取一折衷辦法，即我先回家結婚，再去考大學，於是我就回到家中自修，未去縣裡找工作，婚後就到昆明去準備考大學。

爲了自修，我回家前就買了一些數學、物理、化學的參考書，和一些化學方面的試驗劑，並向上海方面的一個英文函授學校報名，回家後除協助我母親管理家務外；其餘時間，都在家中自修，很少外出，一九三七年日本軍閥於七月七日發動侵華戰爭時，我正在家中自修，日軍攻佔上海後，我的英文函授課程也就隨之告終。

我的第一次婚姻，是當時流行的「父母之命媒妁之言」的舊式婚姻，所謂自由戀愛，那時在華寧縣還沒有聽說過。在我童年的時候，先父就已開始爲我找對象，他相信命理，要來了幾個女孩的八字（出生年月日時），和我的八字都合不上，沒有成功。他去世後，我母親就積極替我物色對象，最後選定了關柏齡小姐，由我父親的朋友去做媒人，她的父親關銘慎先生是我的初中國文老師，也做過一任縣中校長，和我父親也是朋友，知道我家的一切，也就答應這門親事，於是在我初中三年級時就訂了婚，但我們兩人沒有見面，衹由我家僱人擔著禮品送去即完成。訂婚後每年也要送禮，由我跟著挑禮品的人到她家去拜見她的父母，送上禮物，但我們兩人則不見面，所以在結婚以前，我們兩人都沒有交談過，而且在路上看到時，都覺害羞，遠遠的就各自迴避了。

婚期是選在一九三七年十一月的一個「黃道吉日」，婚前半年就開始籌備，自己養了兩隻豬，二弟汪璞去昆明就讀雲南大學附中時，我和他一同去，在昆明採購婚宴時用的材料，如海參、大蝦之類，並訂製我的新郎服裝。那個年代，華寧衹有小吃店，沒有大飯館可代辦筵席，所以每逢有人結婚，都要借用寺廟廳堂，自僱廚師烹飪，請人擺桌上菜，是一件大事，忙了幾個月，才準備完成。照當時的禮俗，舉行婚禮前，還有一道手續，叫做「下茶」，由男方把送給女家的禮金，和送給準新娘的禮品，僱挑夫和吹嗩吶（俗名里啦）的人，一路吹著嗩吶送給女家，女家也得先把嫁粧準備好，包括箱，櫃，梳粧台，被褥，新娘禮服，和進男家時分送給年幼客人的米果等等。

結婚當天，我坐在僱用的轎子內，由兩人抬著到岳父母家，同時另僱給新娘坐的花轎和一乘給新娘伴童坐的轎子，也跟著去到了岳家。我坐在轎內，等候新娘臉上遮著紅布，穿著繡花旗袍，由她弟妹送上花轎，一路由吹手吹嗩吶，浩浩蕩蕩，走到我家。在一片爆竹聲中，由我家請來的親戚少女和伴童，把新娘從花轎中扶出，走進貼有新門聯的門內，進入新房，隨著我也進入新房，把她臉上的紅布拿掉，這就算是正式成婚，然後在中堂內拜祖宗，完成「迎親」儀式。

婚宴設在上村寺內，在大殿和中殿上擺的是男賓席，在廂房樓上擺的是女賓席，婚宴前一天，廚師就殺了兩頭豬和許多雞鴨，把我從昆明買來的海產浸泡，開始做菜，當晚就有親戚來吃婚前飯。當時的風俗，近親好友都要邀請吃三個晚餐，即婚前一餐，正式婚宴和婚後各一餐，所以要準備的菜餚不少。婚宴也是流水式的，每盆每碗菜餚吃完了，就有專人來加菜，直到賓客吃飽爲止，並有兩人吹嗩吶助興，和燃放爆竹，十分熱鬧，我們倆個新人，也要到每桌向客人敬酒。

婚宴結束後，華燈初上，就有人來鬧新房。要我們新郎新娘照他們的要求做各種動作，講很多惡作劇的話，一直鬧到深夜才罷休，他們散去後，我倆才有機會第一次對話，照當時的習俗，我們整夜都不能熄燈，在燈火下就寢，在窗簾外還有人躲在那裡偷聽，可以說在新婚之夜，一點隱私權都沒有。

婚後第三天，新娘要「回門」，由新郎陪著回到娘家去省親，岳父母就在那天設宴，請至親好友來陪我們倆人吃「回門酒」，這樣婚禮才算結束。從此新娘就成了我們家中的一員，以後就要嫁雞隨雞，嫁狗隨狗，和我白頭偕老了。

農曆新年前，我接到高中同學胡守仁君來信告訴我，雲南大學招收準備考大學的補習乙班（甲班是一九三七年八月開始），他要去報名，若我想去，他就替我報名，我立即告訴母親和新婚妻子，並回信請他代我報名，於是開始準備去昆明，我母親有約在先，結婚後她有我的新娘留在家中幫助做家務，可以讓我離開，我的新娘當時雖然衹有十六歲，但她因她大弟患重病，初中未畢業就輟學在家照顧她弟弟，也希望我出外奮鬥，爲將來前途著想，於是過新年後不久，我就離家到昆明去與胡守仁同學共同租了一間房間住，開始去補習乙班上課。

補習班顧名思義，就是要補習考大學的主要科目，如國文，英文，大代數，幾何學，三角等，教師是雲南大學的教授，講師和助教，每天都有幾堂課，數學的練習很多，每天都要到深夜才能做完，全班大約有三十名學生，大家都很用功。

補習班六月結束時，就有大學開始招生，直到抗日戰爭前，雲南衹有雲南大學，要考其他大學，都得到香港，廣州，上海，南京，北京或天津去，所費不貲，像我家這種小康家庭，根本無力負擔。當時抗戰已歷一年，好多間大學都向大後方遷移，剛搬到昆明的就有清華、北大和南開三大學合併而成的西南聯合大學，搬到澄江的有中山大學，搬到四川和貴州的大學更多，這些公立和私立大學，有的是由國民政府教育部主辦統一招生，有的是自己單獨招生，我就報名參加教育部主辦的聯合招生考試和中國國民黨主辦的中央政治學校大學部考試，都被先後錄取，中央政治學校大學部先放榜，而且十月就要入學上課，當時我對中央政治學校很陌生，祇從招生廣告上得知它是黨辦的全公費大學，因爲是全公費，對我來說，是求之不得，就決定去進中政校大學部（抗戰結束後改爲國立政治大學），可是照入學規定，新生必須有國民黨中央委員做保證人，而我與政黨毫無關係，怎麼辦呢？祇好去向高中班主任秦仲虔先生請教，他說我高中時的生物學教師張祿先生，是國民黨員，而且以前是國民黨中央委員張維翰先生的部屬，我可以去找張老師幫助，於是我就登門去求張祿老師，幸好我在他的生物學班上常得一百分，他記得我，馬上寫一封介紹信，由我持信和入學保證書去張維翰先生公館求見，門房把介紹信和保證書交給張先生，他看後在保證書上簽名、蓋章，由門房交還給我，我再交給招生處，當時中政校已由南京先搬到湖南芷江再搬到四川重慶南岸的小溫泉，我得到入學通知和校方發給的旅費，就回華寧上村與家人和親友告別，然後與其他在昆明同時考取的十餘同學，於一九三八年十月初乘公共汽車，由昆明經貴州貴陽到重慶小溫泉報到入學，入學後不久，教育部主辦的大學聯合招生考試放榜，得知我也考取，被分發到第一志願的西南聯合大學，但我已進入公費大學，就沒有轉學到自費的西南聯大去。

第五章　抗日戰爭期間的大學生活

一九三八年十月初，我們到小溫泉報到，當時正開始蓋新校舍，還沒有校園，前兩期的大學部同學，是借住在仙女洞的高級中學校舍，我們新生則住在南溫泉山間的白鶴林寺廟內，沒有床，都是睡地舖，軍事訓練用的操場，是把民田填平做成的，大教室是用竹籬牆和茅草蓋成的，飯廳也是臨時搭蓋的，非常簡陋。

入學後的頭兩個月是軍事訓練，比高中時代的軍事訓練還要嚴格，每天早起後是軍事操，軍事操結束，吃早餐，然後上課，課後自由運動，晚餐後自修，然後排隊點名就寢。大學一年級課程如國文、英文、黨義、哲學、政治學、經濟學、歷史等都是必修科，除英文、國文分組外，都在一起聽課，有時還有高官來訓話和名人來演講，如此過了兩個月的集中軍訓，接著就是軍事管理，在白鶴林住了約半年，等到小溫泉的新校舍落成，才由白鶴林遷到新校舍。

新校舍也是簡陋的，除圖書館和大禮堂還算堅實外，其餘的教室，學生宿舍，醫務所和飯廳，都是用三合土做地板，竹片和泥土做牆，瓦片做屋頂蓋成的，沒有玻璃窗，祇有棉紙窗，更沒有煖爐和風扇，電燈也不明亮，也沒有自來水，廁所是共用的大廁所，盥洗室更加簡陋，衹有一大水缸，由工友供水，每人一個洗臉盆，自己取水盥洗。幸好，這裡原來的地主軍長建有一游泳池，不遠的南溫泉也有浴池，洗澡還不成問題。校園傍是一條築有水壩的花溪，水深而無浪，是我們夏天去游泳的好地方。

中央政治學校初開始時，名叫中央黨務學校，是中國國民黨設立的黨務學校，專門訓練黨政幹部，是一種短期訓練班，衹辦了一期，第二期就改爲四年制的大學部，第二期設在南京，校長是國民黨總裁兼軍事委員會委員長蔣介石，設有校務委員會、教育長很長時間是國民黨元老丁維汾先生，但衹是掛名，實際負責人是代理教育長，我入學時的代教育長是陳果夫先生，下設教務長，訓導長和總務長，另有軍事訓練和軍事管理的總隊長，我們是大學部第十期、第九期入學後就發生七七事變，各大學開始內移，一九三七年沒有招生，所以我們第十期和第九期之間隔了兩年。

我們這一期是一九三八年七月在重慶長沙昆明和廣西省梧州四處招考的，當時流亡學生很多，而中政校是全公費，所以報考的人很多，有二千三百多人，衹錄取了二百一十六人，實際報到入學的有一百九十人，其後有五人被開除，十四人轉學，兩人病故，所以到畢業時，衹有一百七十三人，同學中年齡相差很大，有的高中剛畢業，有的曾在其他大學讀過一年或兩年，有的是像我一樣，高中畢業後停了一年或兩年才考大學，省籍以江蘇浙江最多，雲南籍的共有十一人，若不是學校在昆明招生，恐怕就沒有這樣多了，甘肅青海寧夏一人都沒有，陝西省也衹有一人。

第二年開始分科上課，我們這一期共分有行政系，外交系，經濟系，法律系，教育系及新聞系等七個系和會計組與統計組兩個組。每個系都有專任教授講師和兼任教授，沒有課本，祇有少數油印的講義，主要是靠筆記，圖書館的參考書也不很多，我選修的是行政系，系主任先後是薩孟武和張金鑑兩先生，課程種類甚多，包括西洋政治思想史、比較政府、中國政治史和政治思想史、中國和西洋地方政制、民法概論、刑法概論、國際公法、國際關係行政學、行政法、初級會計學等等。我對這些課程，除了聽講，記筆記，找點必要的參考書和溫習考試外，都沒有進一步研究，倒是對哲學、社會學、心理學和蘇聯的情況有興趣，在課外看了一些書，所以我的考試成績祇是中等，得A的科目不多。

因爲是黨辦的學校，每個學生都要加入國民黨，校內有黨部組織，由訓導處兼管。每一系組成一小組，每月至少開會一次，在訓導指導下，研討孫中山總理的主要著作，蔣委員長兼校長的訓詞，和同學提出來的意見，時間久了，大家都感覺乏味，但又不能不開小組會議，在我被選爲小組長的那學期，有一次開會，我先致辭說這小組會議是 The necessary evil，使訓導很困窘，但祇好苦笑，由訓導叫學生去他的辦公室談話，由他考察學生的思想言行，若認爲不當，就加以糾正，好在訓導都是有知識和經驗的人，對學生態度很好，有的在同學有困難時，還自動給予協助。

我們學校每個禮拜一都舉行總理紀念週，全體師生都要參加，先宣讀總理遺囑：「余致力國民革命凡，四十年，其目的在求中國之自由平等，積四十年之經驗，深知欲達到此目的，必須喚起民衆，及聯合世界上以平等待我之民族，共同奮鬥。現在革命尚未成功，凡我同志，務須依照余所著：建國方略、建國大綱、三民主義、及全國第一次代表大會宣言，繼續努力，以求貫徹。最近主張開國民會議，及廢除不平等條約，尤須於最短期間，促其實現，是所至囑」。向總理遺像行三鞠躬禮，然後聽請來的黨國元老訓話或名人演講，許多主講人都是引經據典告誡同學要忠黨愛國，如何做人處世，但也有些例外。給我印象最深的有四位主講人，第一是汪精衛，他在我們入學後不久來訓話，當時他是國民黨的副總裁，但沒有實權，是個好演說家，他風度翩翩，相貌出衆，略帶廣東口音，講話簡潔有力，但話中似有點感慨，他說「我今天所講的話，都是經過蔣總裁同意的」。沒想到過了約兩週，就在報紙上看到他已從昆明飛到越南，發表電報，主張與日本侵略者和談，跑到南京去投靠敵人，當漢奸去了。第二是當時的中央大學校長兼中政校校務委員的羅家倫先生，他相貌不美，聲音沙啞，正當他演講時，有個同學張口打哈欠，被他看見了，馬上大聲訓斥說，我在這裡用力給你們講話，你竟「張開血盆大口」，對師長毫無禮貌，使大家嚇了一跳。第三是當時的教育部長也是我校的前任代理教育長陳立夫先生，他文質彬彬，態度和藹，著有「維生論」一書，喜談孔孟之道，舉了一個例子說，他在美國留學時，住在一美國人家，鄰居的老太太住的是她兒子的房子，要向她收房租，老太太沒錢付房租，被兒子逼迫搬出去，這種不孝行爲，在中國人看來，十分可惡，並足以證明中國的倫理道德，遠高於西方國家。第四是當時的行政院副院長兼財政部長孔祥熙先生，他身軀高大，肥頭大耳，有一次來訓話時，除引經據典外，並告訴我們要注意身體健康。當時抗戰方殷，通貨膨脹，物價飛漲，薪水階級生活極苦，有的教授必須典當來維持生活，而他們財經銀行大員，都生活優異，尤其是他的二小姐，過著美國式生活，使人側目，成為衆矢之的。我們的伙食，也是每況愈下，營養不良，聽到他說要注意身體健康，非常反感，大家跺腳表示抗議，他似乎不在意，但把率領我們聽講的軍事教官弄得非常緊張。

蔣校長也來過十多次訓話，有時是在空襲警報當中。每次他來前，學生和教職員都要動員，把教室宿舍大禮堂和校園大大整理一番，準備好接待他的休息地點。他來時有一大批隨員，警衛森嚴，對我們訓話時，總是身著軍事委員長的軍服，態度嚴肅。每次訓話時間，都在一小時左右，他不帶講稿，有時是專題演講，如行政三聯制之類，有速記員站在講台旁記下講詞，這些訓詞，和他在其他地方的訓詞，都保留下來彙編成他的訓詞言論集，發給學員學習。

蔣委員長也是中央軍官學校的校長，中央軍校是武，我們中政校是文，是他培養文武幹部的主要姊妹學校，非常重視紀律和集體生活，所以中政校對學生也採用軍事管理，設有總隊長、大隊長和分隊長，起初都是職業軍官擔任，後來衹有總隊長和大隊長是職業軍人，中隊長和分隊長則由同學中選出的人擔任。軍事管理的主要內容，是每天都有一定的作息時間，集體行動，每週六天不準許出校門，衹有星期日可以自由活動。每天清晨六時起床，整理床舖，盥洗畢在操場集合，點名升旗，再由體育教官領導做早操，解散後到大食堂吃早餐，然後各自去上課，中飯和晚飯也是大家同時間用餐，下午下課後和晚餐前有一個多小時是自由運動，再集合降旗，晚餐後自修，九時在寢室前集合，由教官點名，確定每人都在場，然後回寢室，約十時吹號熄燈就寢，這就是我們的在校生活，與其他公私立大學的學生生活完全不一樣。

因爲中政校是全公費大學，我們的衣食住和學費完全由黨供應，每月還發給一點零用錢，一九三八年初進校時，我們領到毛呢大衣一件，制服兩套，膠鞋一雙，蚊帳一頂，每月伙食費七元大洋，零用錢兩塊大洋，相當不錯。後來因抗戰日亟，通貨膨脹，物資缺乏，學校制服沒有了，改爲草綠色的士兵軍服，膠鞋也沒有了，改爲布底鞋，飯廳的伙食也每況愈下。大後方的同學，還可以向家庭要零用錢，自己加菜，淪陷區來的同學，就沒有這樣幸運，訓導副主任知道這種情況後，特別召集全體同學開會，批評這種不平等的現象，不許在飯廳加菜，但有些經濟環境優越的同學，還是可以向外訂豆漿雞蛋，自己享用。

我的四年大學生活，都是在抗日戰爭中度過，受戰爭的影響很大，除了通貨膨脹，物資缺乏外，對我們生活與學業危害最深的是敵人飛機的空襲轟炸。有同學在畢業時估計，在四年內約遭遇到二百次空襲警報，平均每次在防空洞中消耗約五小時，單在防空洞裡就躲了一千小時，對上課吃飯和睡眠干擾很大。當年日本侵華軍在佔領上海南京後，繼續向西進攻，武昌漢口淪陷，日軍有了接近重慶的飛機場，可以日夜派飛機轟炸。我們第一次遇到空襲警報，是入校後的第二個月，即一九三八年十一月十八日，以後逐漸增加，一九三九年五月四日對重慶大轟炸，不衹引起大火，燒毀不少建築物，還使躲在防空洞內的民衆悶死了五六千人。我們的校舍和防空洞，先後被轟炸三次之多，原因是領導抗戰的蔣委員長是我們的校長，有時到校裡來訓話，演講，或主持校務會議，被漢奸採知，派飛機來轟炸掃射，造成重大損失。有一次發警報後，我們躲進防空洞，隔了約兩小時，雖然警報尚未解除，但似乎平靜，於是我和一批同學帶著在洞內用的小板凳，到洞口外，呼吸新鮮空氣，想不到忽然敵機飛到上空，開始向我們的防空洞投炸彈，第一顆炸彈落在洞口前約二十呎的山坡下，我們急忙人擠人躲進洞內，隨著有一枚炸彈在洞頂上爆炸，石洞搖動，震耳欲聾，幸無傷亡。爲了修理校舍，停課一週，我和另外幾個同學就到離校十里外的一個農家借住了幾天。

冬季重慶地區霧很大，有時兩三個星期看不見太陽，在濃霧裡，有時五尺外就看不見人，所以冬季空襲不多，但春夏秋三季多半是晴天，空襲就多了，有時連續兩三天日夜都有警報，叫做疲勞轟炸。日寇每次衹派一兩架飛機來襲，但放警報後，大家都得進防空洞，敵機一架回去了，另一架又來，警報不解除，大家就衹好坐在洞內，可是也不能不吃飯，所以大家就零星跑回飯廳吃飯，飯廳也就不能按時關閉。

敵機的空襲，對我們的學業和生活雖然有很大的干擾，但沒有阻止我們的學習和課外活動，相反地，使我們更加進取活躍。全班同學中，有很多小的研究會和特別活動組織，我參加的就有幾個，例如軍事研究會約有十人參加，請總務處副處長溫晉城將軍講孫子兵法。演講會約八人參加，輪流練習即席演說，不許帶稿。練功班，向武術導師學習太極拳少林拳和刀棍技巧。由我發起組成的農作團，寓運動於生產，在校內的空地上種蔬菜，賣給伙食團，把收入拿來買書分享等等。另有由校方主導的大型組織，如社會服務處、球隊、合唱團等，當時的社會服務處，由行政系同學梁聲泰做主任，我擔任組訓組長，開辦了幾次工友訓練班，教他們閱讀和學習珠算，還舉行過社會調查，到農家去訪問，我還參加過合唱團，但因割扁桃腺時聲帶受傷而退出。

說到割扁桃腺，就不得不提到我們學校特有的醫務所，這座很像醫院的醫務所，來頭不小，它是由戰前的江蘇省省立醫院撤退到大後方縮小而成的。我們的代教育長陳果夫先生，在日軍入侵前是江蘇省的省主席，他在省主席任內有幾大建樹，如治理淮河水患，改革吏治和推廣公共衛生等，江蘇省立醫院，就是他主政時設立的。他被調職擔任我們學校內遷後的代理教育長時，江蘇省立醫院也就跟隨他搬到小溫泉，變成了我們學校的醫務所，當時物資缺乏，設備簡陋，我們的醫務所麻雀雖小，還算不錯，設有各科診斷室、手術室、化驗室和病房，不止教職員和學生可以享受免費治療，還有人從重慶市來求診。重慶的氣候很不好，夏天是長江流域有名的火爐之一，非常悶熱，冬天則不是大霧，就是下雨，我們的校舍沒有火爐和風扇，生病的人不少，我就是常到醫務所求診者之一，因爲常常感冒，扁桃腺越來越大，不得不動手術割除，當時沒有全身麻醉的設備，醫生也是生手，我被局部麻醉後，醫生在我口腔內用刀剪切割，祇聽得釘鐺聲響，我則欲吐不能，流血不少。手術後住進病房，幾天不能飲食，過了一週，還在流血，餓得我在夢中吃大餐，幸有另一醫生給我打營養針和止血，才慢慢好轉，是我生命中的一個災難。

我們能得到較好的醫藥照顧與果夫先生自己的健康不無關係，他和陳立夫先生是國民革命先烈，陳英士先生的侄子，有人傳說陳英士和蔣介石委員長是結拜兄弟，所以他們兄弟兩人和蔣先生的關係比較密切，當時他還兼任蔣委員長侍從室主管人事的第三處處長，辦公室就設在我們校園的一角。果夫先生是陸軍小學畢業，很早就參加革命，青年時期得了肺病，但他意志力很強，注意衛生飲食，肺病得到控制，但痰很多，口袋裡經常帶著一個小銅痰盂盒，對我們講話時，掏出小痰盂盒吐痰。第二學年的暑假，我沒有回雲南老家度假，留在校內，他每週給我們講課一兩次，講的是衛生常識，包括他如何戒煙的經驗在內。他擔任我們的代教育長共三年多，經常駐校，常主持總理紀念週，和參加早上的升旗儀式，給我們講話，猶如一個大家長。他在我們「大學部第十期學生畢業紀念冊」裡寫道：「大學部第十期同學，係余在代教育長任內所錄取，其訓練方式，有與往常不同者，亦皆余所規劃，平日相處較久，相知亦較深，余既親見其入校，今又見其畢業出校，心中愉悅，不言可知。」他又告誡我們說：「今當學成致用，應念自身責任之重，殫精竭思，肩荷艱難，務須格物窮理，留心體認，以期學養日深，不斷進步，各成任重致遠之才，各負黨員應盡之責。至於擔任職務，應知百尺高樓，皆從地起，按步就班，循序漸進，寧可令自身才識學問，超過於地位與事業之上，不可使才識學問，在地位與事業之下，蓋唯有才學有餘，方能從容應付，遊刃有餘，否則，強不勝以為勝，反足敗事，此尤望諸同學深識勿忘者也。」這一段話，對我影響甚深，我雖早已脫離國民黨，仍念念不忘。

果夫先生辭職後，教育長一職，由原教務處長張道藩先生繼任，道藩先生是貴州盤縣人，法國留學，太太是法國人，他喜好戲劇，是文娛的倡導者，曾自編自導了一部命名為「密電碼」的電影，以他自己在貴州推進黨務時，被當時的貴州軍閥周西成逮捕監禁拷打的經歷為題材。他為人機警，談笑自若。據傳說，蔣委員長訪問當年尚未獨立的印度時，張先生隨行，印度的獨立革命領袖尼赫魯晉見蔣委員長時，翻筋斗以表示崇敬之意，蔣委員長是很嚴肅的人，當然不可能以同樣方式回禮，正在為難的片刻，道藩先生立即翻筋斗代蔣回禮，因此得到特別賞識，回國後不久，他就被任命為國民黨中央委員會的宣傳部長，其後因事被解職，等於被下放到我們學校做教務處長，有點不得意的心情，升任教育長後才好轉。在他擔任教務處長期間，有一個九期同學發瘋，醫務所無法治療，祇好把他關進一小屋內，道藩先生認為他是假瘋，要去威嚇大罵他一番，看是眞瘋或是假瘋，當他去罵時，這個瘋子同學以平淡的態度回應說，「你不要在這裡演戲。」道藩先生說他是眞的瘋了。我們大學四年級時，因為道藩先生做了教育長，學校的文娛活動也就比較多了。

一九四三年六月就是我們畢業的時期，一百七十三個同學，過了四年的集體生活，除常在一起的同學外，甚少來往交談，尤其是第十期僅有的十五位女同學，與男同學的交談更少，男生宿舍和女生宿舍是分開的，若有男同學和某位女同學交往，就謠言四起，使大家視為畏途，可是到了快畢業的時候，大家都有點依依不捨的感覺。畢業後各奔東西，但一旦相逢，則不論男女同學，都好像遇見親兄弟姊妹一樣，非常親熱，這可能是蔣中正校長所題「親愛精誠」的校訓和集體生活的影響所致，這是後話。

當時的公私立大學畢業生，找工作不易，我們中央政治學校的畢業生，都由學校分發工作，沒有畢業即失業的問題。分發工作的程序，是由畢業生填寫志願表，表示自己想去的工作地點，然後由校方決定，照第一志願或第二志願分發工作，不少同學都想留在重慶的中央政府和市政府工作，我因受到導師們常說「寧爲雞口不爲牛後」和蔣校長在他所著「中國的命運」中鼓勵青年到邊疆去服務的影響，決定不回雲南或留在四川重慶，要去比較落後的陝西省工作，於是便被分發到陝西省去。

第六章　走入社會

同期同學被分發到陝西省的共四人，到甘肅省的僅一人，他們都先走了，我一人獨自乘車由重慶經內江至成都，住在北門汽車站附近的一小旅店內，等候由成都到寶雞的班車。適值初夏，天氣轉熱，我去拜訪家住成都的同學，來回奔跑，不幸中暑，加上在小食店吃了奸商在菜油中摻加桐油（有毒性，當時不能外銷出口，價錢很低）做的菜，吐瀉發燒，全身疼痛，原定次日乘車出發，祇好作罷。幸而家住成都分發到甘肅省的陳樹穀同學清早前來送行，看見我病得不能起床，就叫黃包車把我接到他家去，延醫治病，住在他家休養，病好後與他一齊乘車自成都出發，到寶雞分手。他是被分發到甘肅武威專員公署去的，要不是有他在成都照顧，在川陝公路結伴同行，後果恐不堪設想。

由成都到寶雞，乘了三天汽車，第一天從成都經過綿陽和劍門關到廣元，看到了劍門關的險要，是三國時代姜維與鍾會對峙的戰場，關口附近還立有「漢大將軍姜維之墓」的石碑，廣元是女皇武則天的故鄉，有武則天廟，但我們無時間去參觀。第二天由廣元經勉縣到留壩，沿途看見了七盤關的古棧道，留壩是漢朝開國功臣張良受封為留侯的封地，我們住在廟台子張良廟內的中國旅行社招待所，雖然簡陋，尚稱清潔整齊，並設有食堂，臥房也有床鋪和棉被，不須打開我們自帶的舖蓋捲，飯後我們在廟裡走馬看花，參觀了張良的讀書台，廟的四周有蒼松環抱，十分清幽，難怪張良特別喜歡在這裡隱退。第三天由廟台子乘車經大散關到寶雞，我就在寶雞下車，陳樹穀同學則繼續乘車去甘肅。大散關和寶雞就是楚漢相爭時，韓信「明修棧道，暗度陳倉」的古陳倉地區，是隴海鐵路的終點站，也是關中大平原最西的大城，渭河就是從這裡流入關中大平原，在潼關附近注入黃河的。

在寶雞下車後，我僱了一輛騾車，帶著行李到鳳翔去拜訪公務人員考試及格後分派到鳳翔稅務局工作的雲南同鄉趙璞兄，在他那裡休息了兩天，參觀了有名的東湖和宋代文豪蘇東坡所作喜雨亭記的喜雨亭，然後再乘騾車回到寶雞，轉乘隴海鐵路火車到西安，住進中央政校同學會在西安北大街通濟南坊設立的會所，那時住在會所的校友，都是單身，自組伙食團，所以吃住都沒有問題。

那時中央政校大學部的畢業生不須寫畢業論文，但要寫六個月實習報告，才能獲得畢業證書，我帶著學校分發到陝西的信去陝西省政府民政廳報到，被告知我已由民政廳分派到郿縣縣政府去實習工作，於是我就帶著公文乘火車到郿縣境內的渭北車站下車，僱人扛著行李，乘木筏渡過渭河，到郿縣縣政府去報到。當時的縣長高應篤先生是中政校大學部第二期校友，已在陝西做過兩任縣長，秘書牟乃標兄也是大學部第九期的校友，所以我得到很好的接待，過了幾天，我就被派到郿縣訓練團去擔任訓導主任。

縣訓練團是抗日戰爭期間為培訓最低級行政人員保長和小學教員而設立的，團長由縣長兼任，實際負責人是教育長，下設總務與訓導主任各一人，軍事教官一人，分期訓練，每期爲三個月，除了集中訓練外，每鄉鎮也設有短期訓練班，訓練甲長一類的人員，由縣訓團主管人員不定期去檢閱，所以我有機會到各鄉鎮去和鄉鎮長等接觸，瞭解一些與雲南和四川不同的生活飲食習慣，也看到了許多名勝古蹟，增加了不少見聞。

第一個使我感覺新奇的是窯洞，在平原上有土坑的地方，和渭河平原與較高的涇河平原交界的土坡邊沿，都有人工挖的窯洞作爲住房或辦公室。洞的形狀與一般的城關相似，在洞口築牆，牆上有門，門上有窗，洞門頂上裝有煙囪，洞裡光線較暗，但住在裡面，冬暖夏涼，與一般的建築物完全不同。我們到渭北鄉公所去視察時，就住在一個很大的窯洞裡，不僅有客房，還有辦公室，這是在南方看不到的。

鄠縣轄區內有很多古跡，分佈在不同鄉鎮，我們去視察時，參觀過的有橫渠鎮，是宋朝大儒張載（號橫渠先生）講學的地方，他在這裡開闢一條灌溉渠，取名橫渠，因而得名，但橫渠的遺址已不顯著。另一個特別值得一提的是在斜谷關內的鸚鴿嘴，這是三國時代諸葛亮出斜谷經過的地方，斜谷關是一條由陝南漢中穿過秦嶺到關中的主要通道，兩面是高山，中間有一條較寬而水流不多的河道，鸚鴿嘴是在河道中的一個小島，上面築有防禦工事，形勢險要。據說共產黨的八路軍向延安撤退時，有一部份經過此地被阻，祇得繞過高山前行。我們去視察時，是騎馬經山上小路去的，在保辦公室住了一夜才回縣城。在斜谷關口的西北面就是諸葛亮屯兵的五丈原，在岐山縣境內，我們沒有去參觀。

郿縣城附近也有幾個古跡，如漢朝末年亂臣董卓避暑的東涼閣和西涼閣，秦朝名將白起墓，和有名的古戰場葫蘆谷等。葫蘆谷是諸葛亮火燒葫蘆谷，大敗司馬懿的地方，三國演義裡描寫得很生動，但現在的葫蘆谷，因渭河南移，大部份已消失，祇剩下最南端的一段，是個長約數百尺的大深坑。

現在的郿縣，就是古時的郿塢，京劇法門寺裡的主角就是郿塢人，縣令就是被告御狀的縣官，法門寺位於北面的扶風縣境內，直到現在還很有名氣，考古學家從那裡找到了許多古籍，據當時的郿縣民衆教育館館長告訴我，京劇法門寺裡的故事，眞有其事，檔案裡還有該案的古卷宗。

近代郿縣最聞名的恐怕是渭惠渠，從境內的壩址開始，經過扶風縣、武功縣、興平縣到咸陽市，是關中最主要的灌溉渠。我在郿縣的時候，美國共和黨總統候選人威爾基，在競選失敗後，充當羅斯福總統的代表，到中國大後方訪問，排定要到郿縣參觀渭惠渠，郿縣中學的英文教師和我兩人，還特別寫了歡迎威爾基來訪的英文布條，掛在壩址上面，但我們沒有看到威爾基。

我在縣訓團擔任訓導主任的三個月裡，吃住都和教官職員在一起，初時最不習慣的是天天吃麵食，主食是蒸饅頭、麵湯、和「四大金剛」菜，即紅蘿蔔絲、生蒜片、醋、辣椒粉。每週打牙祭一次，也祇是廚子自己做的又寬又厚的麵條與紅蘿蔔和大葱煮在一起，一碟洋芋丁加上很少的豬肉，很簡單，但土麵的營養很豐富，所以我的體重反而增加了，祇是手心和胸口覺得發熱，有點不習慣。適值縣政府建設科科長辭職，高縣長就調我去擔任建設科長，辦公室是一棟有三間房的平房，也是科長的住宅，科裡除科長外，祇有三個職員和一名工友，其中兩個職員是視察，到各鄉鎮去看縣屬的幾個小林場和灌溉渠等等，不常在辦公室，另一人是繕寫公文的文書，工友替我做飯、清潔辦公室和打雜。我除辦公文外，也不時出去視察，和記錄降雨量與氣候等，工作並不繁重，所以我有時間寫實習報告和繼續溫習英文及其他功課。

我住的房裡有一睡炕，是用土磚做的，上面平坦如床，下面中間有一火炕，炕口在牆外，冬天在炕內燒柴，使睡炕溫暖，當地人全家就在炕上取暖，吃飯，睡覺。我試用了幾次，不僅太硬，夜間睡覺時，感覺下熱上冷，很不習慣，後來發現科裏的一間小屋內存有稻草，於是就用稻草鋪在炕上，再把我的舖蓋放在稻草上，把它改變爲睡床，就舒適多了。

爲什麼郿縣有稻草呢？這也與諸葛亮有關，他前幾次「六出祁山」，糧食供運都有問題，所以最後一次出斜谷時，就「屯田渭濱」，在距離五丈原不遠的渭河南岸種水稻，以供軍需，作久駐之計，不幸他「出師未捷身先死」，沒有完成他的壯志，但也因此在關中地區，郿縣和周至縣都變成了產稻米的地方。

關中地區冬天很冷，除下雪外，還有冷風，我住的臥室和辦公室，因爲不燒炕，祇有紙糊窗子，做飯用的煤灶也在室外，所以特別冷。辦公時要把墨盒放在小火爐邊，否則墨汁就凍得像豆腐似的，不能使用。夜裡喝茶，若杯內留有餘茶，第二天起床，就發現茶水已變成一塊冰。起床後用的洗臉毛巾，掛在繩上，兩小時，就變成一塊冰布。我從重慶帶去的衣服，無法禦寒，特別訂做了一套很厚的棉軍服，並向友人買了一件舊毛呢大衣，才拗過了那個寒冷的冬天。有一次我到渭惠渠壩址去巡視，看見河中有很多冰塊漂流而過，當地人叫做流凌，城附近的小水渠，幾乎都結滿了冰，很多地方的田地也成了凍土，很是堅硬，這是我在南方從來沒有見過的。

我擔任建設科長祇做了三個多月，建設科就被裁除，而與教育科合併為一科，我就失去了工作。當時的鄠縣中學校長，是原來的縣訓團教育長，他邀我去任教和擔任訓導主任。正在考慮時，忽接到在陝西省政府社會處工作的謝懷棫同學來信，說他參加司法官考試及格要回重慶去受訓，已向當時的社會處長也是中政校一期校友陳固亭先生推荐我去接替他的工作。於是我就向高縣長和同事朋友們告辭，於一九四三年三月初離開鄠縣，乘火車到西安去，在火車上看見對面向西開的火車，車廂裡擠滿了人，車頂上也有乘客和大包小包的東西，這些乘客，都是由河南省日軍佔領區逃到陝西的難民。他們離鄉背井逃到陝西，生活非常困難，勿怪乎我在鄠縣縣城和鄉間，常看見衣服整潔的婦孺，在當地人家門外討飯吃，在我遇見的小商人和工作人員中，很多也是山東河南河北和山西來的，他們是較早到關中避難的，已經有點經濟基礎，比我看見乘火車西行的難民要幸運多了。

到西安後，就住進通濟南坊的政校同學會，然後去社會處報到，拜見陳處長，他委派我擔任第三科的社會運動股股長，月薪是麵粉兩袋，一袋交給伙食團供吃，另一袋可賣出變成現金自用。我先參加了處裡的伙食團，吃的是麵食，後來住在同學會的單身漢，有幾個是南方人，就自組一伙食團，僱了一河南來的難民做廚子，替我們做米飯和簡單的菜，從此就很少吃麵食，但偶爾也會到清眞館去吃羊肉泡饃，或買在街上叫賣的燒餅充饑。

社會處第三科社會運動股承辦的社會運動，在我任職時的主要項目，有破除迷信運動，鞋襪勞軍運動和節約運動等，主要是由中央政府行政院社會部發起，命令省社會處照辦，再由省社會處轉令各縣政府辦理，很多是公文往來，社會部給省社會處下達的是訓令和指令，社會處對縣政府下達的也是「等因奉此，合行令仰遵辦」的訓令和指令。縣政府向社會處報告辦理結果和社會處向社會部轉報成果的則是呈文。至於社會處請求同級省府廳處協助的平行公文則叫咨文。這三種上行下行和平行的公文，就是我擔任股長時經常的工作。這些社會運動到了縣級以下，多半變成通告，要大衆知道或開個會就算完成，祇有鞋襪勞軍運動，則須由保甲長要求民間婦女縫製鞋襪，送交縣政府，轉運到省社會處，由我和兩個科員接收，召開一個由建設廳長主持的紀念會，再由我和科員僱騾車把收到的鞋襪運到西安駐軍的軍需處，由他們送去前線發給士兵，才算完成任務。

當時抗戰方殷，陝西省政府各廳處局職員每週工作五天半，我就利用那一天半的週末出遊，或在住處複習功課，以備隨時參加考試。在我旅遊過的地方，有幾處值得特別一提，第一是臨潼的華清池和驪山，是我一人獨自坐火車去的，在華清池的招待所住了一夜，參觀了蔣介石委員長西安蒙難前住的房舍，在當時尚開放的貴妃池裡洗澡，和爬上驪山去看周幽王爲討好褒姒而放煙火的煙火台，及在半山上參觀以前蔣委員長蒙難的地方。第二是與同住校友乘火車到咸陽，再步行去北面高原上看古陵墓，爬上了漢成帝的皇陵，遠眺周康王陵和衛青墓。皇陵是四方形，下部寬上部逐漸縮小，上面是四方形平頂，高約三十多尺，陵前有一大石碑，祭廟則已不存在，遠遠望見的衛青墓則是橢圓形的大土堆，一個是方形、一個是橢圓形，這就是陵和墓的分別。因爲西安和咸陽一帶是秦漢唐的古都，陵墓和墳都很多，所以盜墓的歪風很盛，在秦腔戲裡有一齣叫尤庚娘，就是由劫墓賊引起的故事。

除了上面的兩大古跡外，我還去參觀過有名的大雁塔，碑林和王寶釧的寒窯，有一次還利用一個短假乘車到涇陽去拜訪在那裡工作的一位校友，看到了另一有名的灌溉渠涇惠渠，也在那裡第一次嚐到新鮮的大陝棗。

一九四三年七月，國民政府考試院舉辦全國第十屆公務員高等考試，在西安設有考場，我報名參加普通行政人員考試，考試科目有總理遺教、憲法、民法、刑法、行政法、政治學、經濟學、國文與公文等類，報考這組的人不少，出榜時在西安考區祇有我一人考取普通行政人員。按當時的考試制度，筆試考取祇是初試及格，還要到重慶南溫泉的中央政治學校公務員訓練部高等科受訓六個月，經過複試及格，才算是高等考試及格，所以我就等待考試院的調訓通知。

在等待期間的一天晚上，我乘人力車到一學長家去送行，還沒有到他家，忽然間肚痛如刀割，到他家門前，人力車伕扶我下來，走到他家門內，他立刻把我扶到他臥床上，我痛得打滾，可是越滾越痛，他就把我送進醫院，醫生檢查後，說我有盲腸炎，要動手術割除盲腸，但當時因防敵機空襲，晚上沒有電燈，燈光不夠，要等到天明才能動手術，把我放在手術床上等候，並吃了一點止痛藥。我在手術床上仰臥了約二小時，肚痛逐漸消失，醫生說是慢性盲腸炎，不必馬上動手術，要我回去，若再發作再到醫院動手術，於是我就出院，回到住所，照常去上班。過了約一個月，盲腸炎又發作，這次我就躺在床上，一動也不動，咬牙支撐，過了約二十分鐘，肚痛即消失。這時我已接到考試院調訓的通知，就決定等回到重慶中政校受訓時，到醫務所去找認識的吳迪大夫動手術。

調訓的報到日期是十月初，我就在九月中辭去了社會處的工作，得到陝西省政府的獎助金，並向友人借了一袋麵粉，籌足路費，由西安乘火車到寶雞，等候購買到重慶的客車票。那時的客車班次很少，乘客衆多，一票難求，幸而我有考試院調訓的公文，在爭相擠向售票窗的人群中，以持有公文的優先身份，順利買到了車票，得以準時乘車到重慶，這次是直達車，沒有經過成都，兩天車程，就回到了重慶。

第七章 重返學校

我回到重慶，就去母校公務人員訓練部報到，該部是一九四一年開辦的，專替考試院訓練高等考試和普通考試初試及格人員，校址在南溫泉神仙洞原來的一所中學內，距我以前就讀時位於小溫泉的校本部約一華里。當時的高等考試與普通考試是每年舉行兩次，所以每年有兩期學生，我是一九四二年秋季考取的，就成了中央政治學校公務員訓練部第六期的學員，共約一百人，包括普通行政人員、外交人員、司法人員、工程人員和財經人員等，和中政校其他部如大學部和專修部一樣，也是軍事管理，編成一大隊，住有上下床位的大宿舍，吃大鍋飯，上課有時分組，由有關政府部門首長及學者專家授課或演講，高等科的學員都是大學或專科學校的畢業生，有的已工作過很多年，所以年齡參差不齊，除吃住制服免費外，每月還發給等於公務員委任十二級薪水的津貼，當時正是抗戰最艱苦的時候，通貨膨脹，物價高漲，伙食很差，飯裡常有穀殼，衹有兩碗蔬菜，八人一桌，營養很差，所以大家都用領獲的津貼加菜，但也衹不過是一盤臘腸炒雞蛋而已。

我因患盲腸炎，入學後一星期，就去校本部的醫務所找外科醫生吳迪大夫，他以前曾替我看過病，對我很熟識，滿口答應立即給我動手術，於是我就請病假住進醫院去。吳大夫是當時割盲腸的有名高手，據說曾有病人在重慶中央醫院動手術割盲腸，因空襲手術進行不順利而喪生，所以有些人患盲腸炎，還專程到中政校的醫務所請吳大夫執刀割治，因此我對他很有信心。

記得動手術那天，我躺在手術檯上，護士用一塊白布遮蓋我的臉，吳大夫要求我把兩手手指交叉，放在胸上，不可分開亂動，當時沒有全身麻醉的設備，祇有局部麻醉，所以動手術時，我是完全清醒的，當他用手術刀割開肚皮時，因有局部麻醉，我沒有感覺，但他夾住盲腸切除時，我就痛得直叫！滿頭大汗，他不斷告訴我，不要動，決不能動。我祇得呻吟擺頭，咬緊牙根，勉強支持下去。臉上蒙的白布，我擺頭時被掀開，還看見護士手中吸滿鮮血的棉紗，手術完成後，吳大夫把切割下來的盲腸給我看，祇不過是約一英吋長的小盲腸而已。

在醫院住了約十天，傷口癒合並拆線後，就出院回到高等科宿舍療養，吳大夫要我一個月後去檢查，若傷口癒合凸凹不平，他得動手術把它整平，同時給我證明免參加升旗典禮和晨操，爲了補足營養，我每天吃五個雞蛋，長胖了些，一個月後去醫務所檢查，吳大夫說我可能有蛋白質中毒，因爲我吃的雞蛋太多，但傷口癒合還平整，不必動手術修剪，不過傷口還是不時作痛，所以我就獲准不去參加晨操運動。這次動手術完全免費，因此當時教務處副處長兼公務員訓練部主任張忠道先生在一次集會上說，同學們在受訓期間若有疾病，應把握機會，到醫務所去診治，並舉我爲例。

六個月受訓期滿，舉行複試，全部通過，祇不過名次先後而已。舉行結業典禮時，考試院長戴傳賢先生還率領考試委員會長陳大齊先生等前來主持，戴院長身材不高，四川省人，講話慢條斯理，有點像背誦詩詞，據說國民黨黨員十二守則和國歌的歌辭，都是他的作品，他還被譽爲日本通，對日本人的性格頗有研究。

我們高等考試及格後，由考試院分派到各政府部門工作，我被分配到行政院僑務委員會，就到重慶郊區新開寺的僑務委員會去報到，由秘書長接見，指派我到該委員會所屬的僑務問題研究室工作。該研究室有主任一人，研究員連我在內共三人，因爲是研究工作，不須要辦公文，祇專心閱覽由全世界各地搜集來的華僑史料和現代資訊，加以整理保存，工作比較自由，生活也很簡單，工作了約兩個月，看到報紙上有三民主義青年團中央幹部學校研究部第一期的招生廣告，附有說明，將來成績好者可保送出國留學，我就去報名投考，接到考試及格通知書後，就辭去研究員職務，到重慶市外馬家寺的臨時校址去報到入學。

中央幹部學校是新成立的學校，研究部第一期是開頭的第一班，共錄取二百人，學生編號是以考試成績排列，我的編號是四，就是說我的考試成績名列第四，報考資格是大學與專科學校畢業或同等學歷，所以年齡和學識程度參差不齊，有學文法的，有學自然科學與工程的，也有軍事學校，警官學校和政工幹部學校畢業的，各種人才都有。校長是蔣介石委員長，教育長名譽上是李維果先生，實際負責任的是代理教育長蔣經國先生，也是採用軍事管理和集體生活的方式，教務主任是曾任國立中央大學社會系系主任的王政先生，訓導主任是黃埔軍校畢業與蔣校長關係密切的胡軌先生，總務主任是一位經營工業有成的長者，名字我已記不清楚，學習期間祇有一年，與一般大學的研究院不同，完全公費，穿軍裝，集體在食堂吃飯，住大寢室。初入校的頭三個月是集體軍訓，除軍事操外，還有雨中急行軍，夜間緊急集合聽訓話等。記得有一次半夜後緊急集合，由經國先生訓話，題目是「清清白白的做人，切切實實的革命」。並說幹部學校的使命，是要把我們鍛鍊成一把劍，作爲蔣委員長完成革命的利器，因此他的作風，與一般人不同，這與他的蘇聯背景很有關係。

蔣委員長有兩個兒子即蔣經國與蔣緯國，經國是親生獨子，而緯國則是養子，所以蔣委員長對經國先生特別鍾愛，可是他年少時受到共產黨宣傳的影響，背叛了父親，隻身跑到蘇聯的孫中山大學去進修，加入了蘇聯共產黨，還公開罵他父親是軍閥，後來史大林清黨，他被打成托派，下放到烏拉爾山區的一個小工廠當工人，憑他的努力，陞爲副廠長，孤家寡人，得到他屬下一少女的同情照顧，墜入愛河，兩人就結了婚，這位俄國少女，就是後來改名爲蔣方良女士的蔣經國總統夫人，史大林知道他是中國領袖蔣委員長的兒子，把他當做與中國打交道時的棋子，不許他回中國，直到抗日戰爭爆發，史大林爲了牽制日本，和中國建立友好關係，才同意把他送回中國。他返國後，回奉化老家稍事休息，即被派到江西省，由當時的江西省省主席熊世輝任命爲贛州區行政督察專員，管理該區各縣政務，自己組成了一個團隊，做得有聲有色，他自己很平民化，對老百姓很親切，對幹部則相當嚴格，而且因爲他是最高領袖的兒子，他要做什麼就做什麼，無人敢出面反對，有了在贛南的優異表現，這次擔任中央幹部學校的代理教育長，很顯然是爲他培植未來更上一層樓的幹部。

當時設在重慶復興關的中央訓練團，是訓練中高級政治軍事幹部的機構，已辦了很多期，我進中幹校研究部第一期時，恰逢我在陝西工作時的上司鄜縣高縣長和省政府社會處陳處長在中央訓練團受訓，我特地去他們的宿舍拜訪，他們似乎有點驚訝，他們這一期結業後，中央訓練團就停辦了，它在復興關的團址，就轉撥給中央幹部學校，於是在三個月集中軍訓後，我們就搬到了復興關。那裡的一切設備，可以說是抗戰期間在大後方各大學和訓練團中最好的，伙食也比我在南溫泉公務人員訓練部高等科受訓時要好得多。

中央幹部學校研究部的研究和訓練方式，曾一度引起爭議，當時的教務處副主任認為既然是研究部，就應採用一班大學研究院的教學方法，但蔣代教育長和當時最有影響力的訓導處胡軌處長則認為應以思想訓練為主，因此教務處副主任就被解聘。在課程方面，除英語與國文必修外，祇聘請了幾位有名的兼職教授分組講課或作專題討論，也不須寫論文，但每人皆需寫日記，交給訓導處批閱，又需閱讀幾厚册總裁言論集，在書上作標記交給訓導處查看，所以訓導處的權力顯然大過教務處。

在研究部第一期同學中，雲南籍的共有四人，其中一人徐汝楫同學是我在中政校大學部十期行政系的同學，他是在昆明考區考取的，認識當時擔任雲貴監察使但住在重慶復興關的李根源先生的秘書，所以李根源先生約我們四個雲南同學到他家餐敘，李先生是有名的雲南講武堂的創辦人，也是所謂政學系的元老，為人很謙和，談到我原籍華寧縣的人物，他最敬佩前清進士並做過雲南五華書院山長（等於院長）的劉大紳先生，但對曾做過安徽巡撫的翰林朱家寶則有微詞，華寧人金漢鼎將軍是他在講武堂的學生，中國共產黨的名將朱德和葉劍英也是雲南講武堂的畢業生，所以李先生（原籍雲南省騰沖）是很有聲望的人物，據說，他被任命爲雲貴監察使而未到昆明任所，卻住在重慶，就是因爲怕他和當時的雲南省主席也是李先生門生的龍雲太接近。

另一位住在復興關附近的雲南名人是李宗黃先生，他號稱是當時研究地方自治的專家，著有許多小册子，當時也受聘到幹部學校講授地方自治，一提起地方自治，他就眉飛色舞，滔滔不絕，並說一旦實行地方自治，中國就可成爲「桃園樂土」。

在復興關附近，我們還碰到一位很特別的雲南人，他從雲南到重慶，在當地黑社會組織袍哥裡打滾，成爲附近一個區的袍哥大爺，他知道我們是雲南籍學生，邀請我們到他家去，告訴我們，他的兩層樓房，是他的兄弟們替他建造的，據說袍哥很講義氣，他們收取的保護費和其他不當收入，都要孝敬大哥和大爺，大爺對他的門下兄弟，也要有求必應，患難與共，所以在四川各地，袍哥的影響力很大，若能得到袍哥大爺的介紹和支持，就可在各地通行無阻，得到保護和協助。

前面提到過，訓導處的權力大過教務處，訓導處規定，必須閱讀全部總裁言論集，並寫日記交給該處審查，已引起一些同學的不滿，而胡軌處長對少數幾個同學另眼看待，更引起一些同學的反感。有一天夜裡，有人把操場升旗台上張貼的「天下爲公」，偷改爲「天下爲私」，胡軌先生知道了，認爲事態嚴重，特別集合全體同學，大加譴責。

因爲同學成分複雜，必然有人想利用與經國先生建立的師生關係作爲自己爭權奪位的本錢，有一天一個較熟識的同學悄悄對我說，有一個曾在貴州三民主義青年團做過幹事的同學邀我去參加他發起的一個集會，我就答應跟隨他去，不意到了一個小食店，大家剛坐定，這位有野心的同學，就叫侍者給每人一杯雞血酒，要大家發誓，以後要結爲兄弟，互相扶持，同時有人提議共推他爲大哥，明示將來要由他領導，這可以說是四川袍哥的變相組織，充分表現了他的圖謀，我們都覺得他未免太天眞，令人可笑。

此時抗日戰爭已進入第七年，在一九四一年十二月七日日本偷襲珍珠港以前，美國祇對中國作道義上與經濟上的援助，珍珠港被襲後三日，美國對日宣戰，即開始軍援中國。當日本採取南進政策，先後佔領菲律賓，新加坡，越南與緬甸，並由緬北向雲南進攻，企圖切斷由印度經緬甸到雲南邊境的補給線雷多公路時，美國即用空運由印度飛越駝峰，將軍用物資運抵昆明，支援國軍。蔣委員長並於一九四二年號召十萬青年從軍，迅速組成七個師的青年軍，由孫立人將軍率領，開始反攻，將日本侵略軍擊潰，逐出雲南和緬北。這時正是我們快到畢業的時候，有一天蔣代教育長突然宣佈，鼓勵我們報名從軍，多數同學都報名從軍，我也有意參加，但因割盲腸和重慶氣候的關係，我常常生病，體力不足，在同學的勸告下，沒有去報名，祇要求胡軌先生讓我在畢業典禮後立即離校回家，他勉強答應了，我於是在一九四五年六月離開重慶，回到華寧上村老家，隨後接到分發工作的通知，分發我到雲南省三民主義青年團工作。

第八章　在昆明工作的歲月

我回到家鄉與闊別五年的家人團聚，並作短期休息。一天下午，在後院突然聽見飛機聲音，抬頭一望，看見九架敵方日本轟炸機列隊向昆明飛去，次日報載昆明被炸，死傷多人，並有一架敵機被陳納德將軍率領的飛虎隊擊落，另數架被擊傷，飛回越南基地。這是我第一次看到敵人的機群，以前在重慶小溫泉被轟炸時，祇聽見爆炸聲，而沒有見過敵機，自一九四一年日本偷襲珍珠港，向南太平洋進攻後，把主力移往菲律賓、新加坡、緬甸與越南一帶，重慶就少有空襲。在緬甸的日軍，則向雲南西南進攻，企圖截斷滇緬公路，曾多次派機轟炸怒江上的惠通橋，後經飛虎隊反擊，到一九四五年已是窮途末路，這次對昆明的轟炸，也就成了日本投降前的最後一次。

七月初，我帶領初中剛畢業的妹妹汪瓊玉到昆明去報考高中，並去雲南省三民主義青年團報到，給了我一個幹事的職位，工作很少。祇過了一個多月，一九四五年八月十五日上午，忽然聽見街上放爆竹，才知道日本在美國投擲兩顆原子彈後，已宣佈投降，大家歡天喜地，在慶祝八年抗日戰爭勝利。不久，軍事委員會就宣佈派盧漢將軍率領第六十軍到越南去，接受在那裏的日軍投降。當時第六十軍駐在由昆明到邊境河口的滇越鐵路沿線，與關麟徵將軍率領的中央集團軍毗鄰，由杜聿明將軍率領的集團軍，則由滇緬路沿線撤退至昆明附近。十月初的一天夜裡，忽聞槍聲，第二天早上看報，得知昨晚杜聿明將軍的部隊進攻雲南省政府所在地五華山，用武力把當時的省主席龍雲解職，由杜聿明親自押送至飛機場，強迫調去南京任職，同時宣佈任命盧漢將軍為雲南省政府主席，李宗黃先生為民政廳長，並在盧漢回滇前代理省主席職務。

龍雲擔任省主席已十多年，有自己的軍隊，半獨立的政府，獨立的財政，形同割據一方。在抗日戰爭爆發後，國民政府遷都至四川重慶，幾所大學也內遷到雲南，如北京大學，清華大學與南開大學合併組成的西南聯合大學，中山大學，華中大學等，但沒有中央駐軍。為了抗日，雲南在中央要求下，派了一個軍去參加作戰，據說最初龍雲要求中央把軍費撥給雲南省政府，再由省政府轉發給這個去參戰的雲南軍隊，引起該部隊的不滿，要求改為直屬中央。後來日軍侵略越南和緬甸，向雲南進攻，中央軍關麟徵部，杜聿明部和孫立人將軍率領的新一軍相繼開入雲南，龍雲的親信盧漢部隊與協防的關麟徵部隊還常有摩擦，這些都是在抗戰勝利後，中央利用有利形勢，把盧漢部隊調虎離山，乘機解決龍雲的導火線。

龍雲和盧漢皆為彝族，同是有名的雲南講武堂畢業，在唐繼堯督軍部下供職，據說龍雲武功很好，深得唐繼堯器重，提陞為保衛隊隊長和軍長，與其他兩位軍長胡若愚與張如意為同僚。唐繼堯病死後，三個軍長爭權引起內戰，民不聊生，土匪蠭起，混戰多年，最後龍雲獲勝，當上了省主席。他之所以成功，除知人善用外，也得力於他與元配離婚後，另娶受過大學教育的李夫人的內助，而他之所以能割據多年，則是雲南地處邊陲，國民政府鞭長莫及所致。

龍雲走後，李宗黃先生飛抵昆明就職，他以前未擔任過行政首長，祇帶了一位親信秘書，接收民政廳和省政府，都需要助手，於是我們幾個以前和他相識的人，就被召去協助。接收完畢後，我就辭去三民主義青年團的職務，轉到民政廳去擔任主管縣長人事的第二科的一個股長。

李先生就職時發表他的政策演說，與他過去在課堂上講地方自治有些類似，不切實際，使大家有點失望，接著就發生西南聯大教授也是當時民主運動領導人之一的聞一多在昆明街上被刺殺，引起大學生遊行示威，他處置不當，事態擴大，中央爲平息暴亂，把李先生調回中央，讓盧漢回滇就任雲南省主席，民政廳廳長則由張邦翰先生繼任。據說中央原來希望李宗黃先生有所表現，眞除爲雲南省主席代替盧漢，不料事與願違，而在越南接受日軍投降的盧漢部隊第六十軍，已奉命調到華北，盧漢已無軍權，可以放心讓他回雲南就任省主席，同時改組省政府委員會，雖然全部委員都是雲南人，除盧漢主席外，大多數都與中央有點關係，原來在中央幹部學校擔任教務處長的王政先生，就是在這次改組時被派回雲南擔任省政府委員並兼任教育廳長的。

我繼續留在民政廳工作，當時中央遵照孫中山先生的規劃，由訓政時期過渡到憲政時期，要各省成立省參議會，由每縣的縣參議會選出一代表該縣的省參議員組成，我並沒有去競選，突然接到華寧縣政府通知，說我已被選為代表華寧縣的省參議員，要我簽名接受，我當時有點猶豫，因為省參議員是無給職，而且照規定，做民意代表的省參議員不能擔任政府的公務員，我若擔任省參議員，就得辭去現職，怎樣維持生計？好在那時我已開始寫文章在報刊上發表，有點知名度，同時政治大學校友林南園兄事業很成功，他不止是雲南省政府的會計長，還辦有正義日報，並擔任以緬甸華僑資本為主的中國僑民銀公司的董事長，我就去向他請教，他主動給我一個在銀行裡暫時領乾薪的專員職位。另外中國國民黨雲南省黨部知道我是黨員，也來給我打氣，於是我就決定擔任代表華寧縣的省參議員，辭去民政廳的股長職位。

我擔任民政廳股長時，有了固定收入，就在當年回家過年時，把妻子接到昆明，租了一間約一百平方英呎的小房間居住，臥舖飯桌兼書桌，都在裡面，會客也在裡面，小灶是在房外的走廊上，一個污穢的小廁房，也是四五家人共用的，當我決定擔任省參議員後，競選省參議會議長的前雲南省教育廳長龔自知先生來我住處拜訪拉票，幸而我不在家，他留下一個名片，否則真不知該如何應付。

雲南省參議會第一屆成立開幕典禮，於一九四六年六月（日期已不記得）舉行，每縣一省參議員，共約五十多人（實際人數已記不清楚）出席第一次會議，選舉議長和副議長。議長候選人有前唐督軍的秘書長尤雲龍和前雲南省教育廳長龔自知兩人，結果龔自知當選為議長。副議長候選人也是兩人，結果是前省立昆華中學校長及現任雲南省教育會會長的徐繼祖先生當選。參議員中成份很複雜，以年齡論，有七十多歲的，五六十歲的最多，年紀最小的是我，當時是二十七歲，就資歷而論，有做過北洋政府教育總長的王九齡先生，做過唐繼堯督軍秘書長的尤雲龍先生，做過雲南省教育廳長的龔自知先生，做過將級軍官的有一人，做過縣長的也有幾人，大多數則是各縣裡的紳仕。每年開會兩次，在散會期間，則由選出的常務委員代行職務，我當選爲第一屆常務委員之一，每月可領車馬費，對我來說，不無小補。

每次開大會，都有很多提案，形形色色，芝麻小事都有，提案須先經小組審查合併，認爲有意義才提交大會表決，但通過的議決案，祇是咨請省政府辦理，省政府可以接受，也可以不接受，因爲省參議會沒有眞正的立法權，祇是「參議」而已。但省參議會也有些影響力，可以在大會上質詢政府首長和省營事業的主管人，公開提出批評，所以政府機構對省參議會都有點顧忌，社會人士也有點尊重。

每次大會後，都有集體活動，例如受邀到一平浪的鹽礦去參觀，到路南的石林去旅遊，到昆明西山的太華寺去郊遊，到安寧溫泉去度週末等，可算是做省參議員的一些福利，參議員彼此之間也有些交往，經濟環境優裕的，獨自設宴招待同僚，像我這樣的窮錯大，則祇好聯名請客，以作報答。

我做了省參議員後，有一同僚說，他租了一層樓，有兩間臥房和一個客廳，他現在祇需要一個臥房，另一間可分租給我，問我要不要，我說可以，於是就和妻子搬到這一環境較好的小四合院居住。這時妻子剛懷孕，雖然房間祇有一百二十平方英尺左右，比以前住的那個小房間要好得多。搬進去不到一個月，當時擔任雲南省政府秘書處法制室主任的范承樞先生突然到我住處來找我，邀我到他的法制室去做專員，我說我現在是省參議員，照法律規定不能擔任公務員。他說他可以向他的上司省政府秘書長朱旭先生建議聘請我，而不是委任我為專員，希望我考慮接受。我和他祇在公衆場所碰見過，並不相熟，大概是他看到我在報紙上發表的文章，打聽到我的學歷和資歷，眞的有意邀我去工作，才會親自登門邀請，我與妻子商量後，就答應去他的法制室做聘任法制專員，月薪比照荐任級待遇，於是我又有了一份較好的固定收入。

法制室專門負責審核修改省政府各廳處局制定的規章和解釋中央政府的法令，我在大學時代所學的憲法、民法、刑法，尤其是行政法正好派上用場。記得有一次法國駐昆明領事館要求整修法國人墳場，我還引用中央有關外事的法規回覆拒絕。我初到法制室時，連我在內共有法制專員四人和科員一人，專員中一人是學法律的，另兩人是以前縣長訓練班畢業而做過縣長的，科員也是學法律的，後來增加兩個科員，都是公務員高等考試剛考取的。他們兩人是政治大學校友，其中楊恩霖學弟是學法律的，後來和我同時考取留學到德國去留學，獲得博士學位，所以法制室的水準不錯。我們把審查修改過的各廳處局規章編訂成册，取名爲雲南省政府法規彙編，指定由我執筆寫序文，以秘書長朱旭（麗東）的名義發行，這是我在雲南昆明工作時最愉快的經驗。

除擔任省參議員和在法制室工作外，我還繼續寫文章，正義日報當時設立了一個社論委員會，成員大多數是大學教授，每月集會幾次，討論時事和社論立場，由幾個人執筆，我被推舉爲執筆人之一。國民黨雲南省黨部主辦的「民意日報」，則邀我在地方論壇版寫評論，還有龍雲長公子主辦的觀察報，也要我去參加該報的社論小組，所以我花在寫文章上的時間，越來越多，但我並沒有放棄再上一層樓的願望，在工作和寫文章之餘，還和另外三個好友，包括小同鄉也是中政校校友，時任中國僑民銀公司儲蓄部經理的趙崇齡兄，共同請了一位英文老師，補習英文。

一九四六年秋，教育部舉辦全國第二屆自費留學考試，我報名參加考試，放榜時，被錄取爲政治學系的第四名，喜出望外，就開始準備申請到美國留學，先把已懷孕三月的妻子送回華寧家鄉調養和陪伴我母親，獨自在昆明一面工作，一面申請入學許可證，先從母校獲得大學畢業證明書與四年大學成績單，寄請大學同學時任正義日報駐美國記者武希轅（新聞系畢業）兄協助，向美國大學研究院申請，並請他決定向那幾間大學申請。他認爲美國科羅拉多州的海拔高度與昆明差不多，對我比較適合，就先向公立的科羅拉多大學申請，同時妻子已接近產期，我就在一九四六年底回家，把她接回昆明，按時到醫院去檢查。

一九四七年四月，妻子進醫院，生了一個兒子，我好高興，給他取了一個名字，叫汪彥良，非常可愛，祗可惜他母親的奶水不足，必須買奶粉補充，接著又患了乳癰，乳質更成問題。同時，參議會同事的二房東說，他需要我們住的臥房，希望我們另覓住處，我們考慮後，認爲不如回到華寧老家去，請奶媽到家中餵奶比較好，於是我就請也是省參議員的小兒科醫師鄧尊六醫生給兒子作一詳細檢查，他說一切都很正常，我就決定把妻子和才三個月大的兒子送回華寧，我自己則搬到省參議會的會址抗戰勝利堂後樓上的一個小房間居住。

考取第二屆自費留學的雲南人共有十多人，除兩三人家境富裕外，其餘大多數都和我一樣，是靠薪水生活，那有錢自費留學，若不能獲得獎學金或助學金，很難如願以償。於是我們開始串聯，推舉我為首席代表，向雲南省政府要求給予助學金。主要理由是，幾年前雲南省曾用公營事業的經費，開辦留美訓練班，招收高中畢業生，給予一年訓練，公費送到美國留學，而我們都是大專畢業，經過教育部的留學考試及格，更應由省政府支助出國留學，將來回雲南服務。經多方奔走，我們的訴求初步得到時任剛合併成立的省營事業雲南人民企業公司董事長，也是前留美訓練班主持人繆雲台先生的支持，他和他的副手以前留美訓練班實際負責人金龍章先生後來建議，凡考取自費留學的雲南人和在人民企業公司任職的外省人，每人補助美金二仟元，但須雲南省政府批准。於是我們就全體去晉見盧漢主席，我們到了他的辦公室，他出來接見，由我代表大家陳述我們的請求後，他沒有作正面答覆，祇說他看我們的身體和面色都不好，得了大博士學位也沒有用，意思是要我們注意身體健康，接著省政府就批准了，雲南省教育會也同意給我們獎學金，但數額未定，到此我們的留學費用，大部份就有了著落。

說到雲南省人民企業公司，其來源值得一番解說，在龍雲主政期間，雲南省的公有企業，分為兩大集團或派系，其一為以繆雲台為首的留美派，其主要企業為富滇銀行，雲南錫業公司，耀龍電燈公司和雲南紡紗廠。其二為以財政廳長陸崇仁為首的本土派，其主要企業為興文銀行，雲南煙草公司，一平浪鹽礦等。兩派相互爭霸，到抗日戰爭末期，陸崇仁大概是患了失憶症，逐漸失去了競爭力，盧漢擔任省主席後，改組雲南省營事業，遂將所有省營事業合併組成雲南人民企業公司，由繆雲台擔任董事長，金龍章爲其副手，他們兩人都是美國留學的，與西南聯合大學的校務委員和教授們關係甚好，這也是他們佔上風的原因之一。

我接到了科羅拉多大學的入學許可證後，便積極辦理出國事宜，當時的主要問題有二，一是籌錢買外匯，二是申請美國的入境簽證，都相當困難。先說籌錢買外匯的事，我雖已獲得人民企業公司的奬助學金，但要等到科羅拉多大學註册，獲得學校的入學證明，才能向雲南省委託的華美協進會領取，所以包括治裝費旅費和第一學期學費等的美元外匯，必須自己籌錢購買，雖然我們可提出留學考試及格證明書，向中國銀行申請購買官價外匯，也須籌足相當數額的國幣，我自己是個窮光蛋，非求人協助不可。好在那時的美金黑市兌換率，比官價美金外匯要高三倍多，幾經周折，最後獲得中國僑民銀公司董事長林南園學長的同意，借給我美金現鈔四百元，等我到美國入學，領取雲南省的奬助學金後償還。我把這四百元美金現鈔托人在黑市賣出，以所得國幣向中國銀行購得一千三百多元的官價美金外匯，第一件困難遂得以解決。第二件事是美國的入境簽證，其要求是先經過身體檢查，證明沒有肺病，沙眼和灰指甲等傳染病，才能通過，在這方面，交遊甚廣，頗有名氣，也是省參議員的劉淑清女士給我很大協助，親自陪我坐她的私車到惠滇醫院去找該院院長，經過檢查，發現我腳有灰指甲，給我外用藥膏治療，過了約兩月也就治好。接著就是到美國領事館面談，得到時任教育廳長王政老師的介紹，說明我到美國的目的祇是求學，結果也順利獲得簽證。這一切手續都辦好後，我就辭去省政府秘書處的法制室專員職務，法制室主任范承樞先生給我特別照顧，除呈請秘書處加發一個月的薪水外，還介紹我給他在上海經商的建水縣同鄉好友，請他在我抵達上海時招待我，給了我很多便利和協助，對此我非常感激。

我在昆明工作雖然祇有兩年半，但那兩年半卻是山雨欲來風滿樓，中國歷史大轉彎的開端，其主要特徵表現在三方面，即內戰開始白熱化，經濟開始崩潰，和政治紊亂開始加劇。當時很少人察覺這些事態的嚴重性，我們寫社論時，雖然也提出一些看法，但無人能預見它的悲劇性結果。

首先要說的是內戰開始白熱化，在抗日戰爭期間。國軍與日軍正面作戰，共軍則在敵後打游擊，牽制日軍，雖然國共兩軍之間時有摩擦，大體上尚能合作。日本投降時，當時的蘇聯進軍東三省，把繳械得來的日本軍火交給搶先進入東北的共軍，並阻礙由海空運入的國軍部隊，由是共軍日漸強大，與國軍爭搶以前的淪陷區，衝突不斷升高，美國於一九四六年派遣馬歇爾將軍赴華調停，希望國共組成聯合政府，無功而返，國共兩軍在東北開始內戰，以前在華中華東淪陷區打游擊戰的共軍也逐漸壯大，對國軍構成威脅。

在經濟方面，八年抗戰，已形成物資缺乏通貨膨脹的局面，雖然政府在戰爭期間已設立糧食部，棉花紗布管制局和煙酒公賣局等與民生有關的管理機構，屯積居奇，炒買炒賣的風氣仍很普遍，當時的商業銀行，多以炒黃金美鈔爲賺錢的主要手段，而且官商不分，在銀行工作的人員，其待遇遠高於其他薪水階級，商號亦以炒棉紗、黃金外幣爲務，物價波動很大，人民生活每況愈下，怨聲載道，對政府非常不滿。

在政治方面，不僅國民黨與共產黨對立，其他小黨如青年黨、民主社會黨、農民黨、民主同盟等，亦紛紛崛起，要求國民黨開放政權，其中李璜，陳啓天，左舜生與曾琦等領導的青年黨，和張君邁領導的民主社會黨，與國民黨較爲接近，而沈君儒，史良，羅倫基，費孝通等人組成的民主同盟，則與共產黨甚爲友好，彼此互相攻訐，並都想獲得美國支持，所以共產黨對美國人的宣傳，祇強調它是農業改革者和支持中國的民主運動，藉此削弱國民黨政府。美國在派遣馬歇爾將軍調停失敗後，於一九四七年退出中國，袖手旁觀，使中國政治更加不穩定。

當時的大環境如此，而我自己已因工作過度，營養不良，不時生病。健康情況欠佳，體重祇有一百磅左右，所以有人勸我不要出國，但我認爲此乃攸關我前程的大事，若錯過此一機會，將來會後悔莫及，所以決心不顧一切出國留學。

第九章 難忘的旅程

一九四八年一月初，我回到上村家中與母親和妻兒團聚，並在一月中旬爲九個月大的兒子補辦慶生宴，同時向親友告辭，這時兒子經奶媽餵奶，身體發育正常，已開始爬行，並初懂聽話。我辭別母親離家時，柏齡抱著他送我到村寨門口，他不時在笑，柏齡責備他說，你爸爸要遠行久別，你還笑呢！這幕離別情景，至今記憶猶新，想不到這一別竟成了永訣。

我從上村乘肩輿到盤溪等火車，當時的滇越鐵路已於日軍攻占越南時，被中國政府從法國人手中收回，除新派的管理人員外，其餘照舊。在昆明與開遠之間，每天祇有客車一列，從昆明與開遠兩站對開，由開遠開向昆明的車，上午九時左右就到達盤溪，而從我家到盤溪，雖祇有六十華里的路程，但要越過一座高山，需時約六小時，當天不能趕上上午的火車，必須在盤溪住一晚，我就在一遠親家住了一晚，次日才坐火車到昆明，仍暫住在抗戰勝利堂內的小房間內，隨即去航空公司購買機票，於二月十日由昆明飛往上海，時在雲南大學森林系任助教的三弟汪璞和在滇越鐵路工作的四弟汪璠，都到機場送行，想不到這一次和璠弟也成了一別永訣，我辭去省參議員的信，則由璞弟代寄給華寧縣政府。

我乘坐的那架客機，大概是抗日戰爭期間美軍使用的運輸機，沒有坐椅，乘客是坐在機身兩側的硬布吊椅上，機艙中間堆放著乘客的行李箱和其他物品，機身中部有圓孔小窗，沒有空調設備，當飛過雲貴高原時，可看見堆滿積雪的山谷，冷風從小窗口吹進，頗感不適，好在衹有三個多小時的飛行時間，就到了上海。這是我第一次到上海，人生地疏，幸而得到范承樞先生介紹的商號東主接待，住在商號的客房內，次日即由在中央大學就讀的東主弟弟（很抱歉不記得他們的姓名）陪我去輪船公司訂購從上海到美國舊金山的輪船票。因爲船期還有四天，我就利用這段候船時間，乘火車到南京去拜訪師友，由當時在財政部工作的劉錫齡同學招待，住在他的財政部職員宿舍裡，但我想要拜訪的師友，因正值農曆新年假期，都沒有見到，很覺遺憾，衹住了兩晚就回上海。

那時的上海，仍是歌舞昇平，沒有一點擔心時局的氣氛，商號的東主特地帶我到國際飯店的舞廳去見識見識，我也獨自一人去聞名的四大公司：先施公司、永安公司、大新公司和新新公司參觀。街上車水馬龍，一片繁華景象，我下榻的商號是經營棉紗交易的，在香港設有分號，交易所就在旁邊，我和商號經理們閒聊時，得知一點內幕，據告他們商號的房子是用八根金條（等於八十兩黃金）頂租來的，那時上海有個很奇特的現象，房主人出租給房客後，就很難收回另租，而房客可把他租來的房子，以多少根金條的代價轉讓給另一個房客，這是我以前沒有聽說過的。其次，在上海經商，必須常請客吃飯和打麻將，以拉攏關係，否則就吃不開，我的好友是中國僑民銀公司儲蓄部經理，他曾告訴我，該公司在上海開分行時，用十八根金條頂租了一間舖面，並派了曾在戰時滇緬邊界包收關稅而發大財的大股東擔任分行經理，爲了擺排場拉關係，祇不過一年多，除公司開支外，他個人就自己賠了一千兩黃金，眞是令人咋舌。

船期是二月十七日，我就告辭主人上船，那時由上海到美國舊金山沒有眞正的客輪，祇有兩艘以前美軍用過的運兵船米格將軍號（General Meigs）和戈登將軍號（General Gordon），噸位都不大，米格將軍號的航線是由上海經日本橫濱和火奴魯魯到舊金山，戈登將軍號的航線則是從上海經香港和馬尼拉到舊金山。我乘坐的是米格將軍號，從上海出發，一天一夜就到了橫濱，風浪不大，沒有暈船。本來想上岸觀光，但那時日本是由麥克阿瑟將軍統治，規定乘客必須打預防針，才准上岸，我怕打預防針有反應，沒有上岸，留在船上，看見碼頭上許多穿日本和服的女子和男士在送行，很覺新奇。米格將軍號有三種艙房，即二等艙，三等艙和四等艙。二等艙我沒有去看過，我們大多數留學生住的是三等艙，乘客睡的是以硬布做的可以向上翻動的架子床，是大統艙，二三十人同住一間。四等艙則是睡地舖的大統艙，飯廳是自助餐式的大飯廳，廁房是有十幾個馬桶的公共廁所，洗澡間是公用的淋浴室，設備非常簡陋。

離開橫濱後的第二天，就在太平洋中遇上了大風浪，船在海面上像跳舞一樣，上下左右不停顚動，我就開始暈船。有一次去飯廳吃飯，列隊去拿菜時，看見了血紅色的鹹牛肉就嘔吐，祇好回去靜臥，三天不能走動，沒有胃口，幸而我離開昆明時，帶了友人送的玫瑰薑和大頭菜，與船友從飯廳拿來的麵包同吃充饑，勉強挨過了四天，一到火奴魯魯，就急著下船，與幾個留學同伴上岸去找中餐館，途中遇到一位熱心華僑，開車送我們到唐人街去吃中餐，大吃一頓，還走路到有名的 wakiki 海灘和夏威夷的水族館去參觀，當時的 wakiki 海灘是一寬廣的沙灘，風景宜人，與現在滿佈高樓大廈的 wakiki 完全兩樣。

由火奴魯魯到舊金山的航程約三天半，風浪不很大，三月二日到了舊金山上岸，移民局的入境手續很快就獲得通過。當時我祇帶了兩隻在昆明購買的小皮箱，除隨身穿的衣服外，東西很少，有一隻皮箱還是半空的，很容易就通過海關。剛走進碼頭，突然有個代表太平洋鐵路公司的華人來打招呼，協助買好由舊金山到科羅拉多大學所在地波德市的火車票，並把我和另一前往科大的同學送到中國城的青年會招待所暫住。

初到美國，我就感受到兩種語言問題，一是美國音的英語，二是華僑講的廣東話，以前我在國內的中學，大學，英語補習學校和英文補習班學英文時，教師中有中國人、德國來的猶太人、英國人、和美國人，發音各有不同，很少有機會練習口語，主要是記生字、學文法、學造句、和閱讀課文，因此在船上時，擴音器裡宣佈的事，半懂不懂，不僅我是如此，很多同行的留學生也一樣，甚至有一位英語系畢業的人感慨地說，美文眞不好聽懂，這是時代所使然，當時還沒有磁帶錄音，供自己學聽，矯正發音，更沒有語言實驗室供學生練習，除非是在上海北京天津廣州等地進私立教會學校，即使閱讀和寫作都不錯，聽和講還是有困難。其次，當時在美國的華人，絕大多數都是廣東來的華僑和他們的後代，他們講的大部份是四邑（台山，恩平，新會，開平）話，比廣州話更難懂，能說國語的少之又少，在乘火車之前，我到中國城的燒臘店去買叉燒之類的中國菜，以便在火車上食用，店員聽不懂我的國語，竟批評我說「唐人唔知講唐話」，眞使我哭笑不得。

我們由舊金山乘輪渡到奧克蘭，再乘太平洋鐵路的火車出發，坐的是二等車，祇有硬木椅，沒有茶水，廁房和盥洗室是在另一節車廂內，雖有餐廳車，但我們不敢去嚐試，祇在座位上吃我們自帶的食品，經過內華達和猶他兩州時，車軌兩旁仍堆滿積雪，過了鹽湖城和懷俄明州的賽原，到達科羅拉多州的首府丹佛，再換乘一短途火車到波德，住進距科羅拉多大學不遠的一個旅館，遇見了兩個也暫住在那裡但已入學的中國同學，得到他們的指導和協助，並經他們的介紹，與在科大讀教育博士學位的中政校校友吳坤涂兄見面，準備去註册入學，時在三月初，街上仍有積雪，其實丹佛和波德的海拔是六千呎，與昆明差不多，祇是緯度遠高於昆明，比昆明冷得多了。

第十章 初嘗留學滋味

我到科羅拉多大學（University of Colorado）的研究院註册，當時我可以選讀公共行政或工商管理的碩士學位，與註册處人員商討後，因爲我在中政校大學部讀的是行政系，與公共行政（Public Administration）性質相同，乃決定選讀公共行政。隨即由註册組指定去拜見公共行政系的主持人里奇邁爾博士（Dr. Leo C. Riethmayer），他對我很親切，讓我選了三門課。科大當時是採用季節制（Quarter System）而不是學期制（Semester System），一學年分爲三季，每季祇有三個月多，必須在這三個月內讀完課程。三門課已相當繁重，尤其是初到美國，聽講還有點困難，必須多下工夫閱讀教科書及參考資料，才能跟得上。何況除上課小考外，還要寫一篇研究報告，相當費力。

註册組人員介紹我去找學生宿舍管理員，他把我安排到一房間，與另外三個學生同住，是兩張有上下舖的架子床。所繳的宿舍費包括住和伙食，憑繳費證進飯廳用膳，每日三餐，早餐和午餐比較簡單，晚餐較爲豐富，都是大鍋飯的西餐，味道平平，很不合胃口。間或有一餐中國式的雜碎，也祇是豆芽和碎肉做的汁，澆在米飯上而已，一點中國味都沒有，所以常想吃一點中國菜。可是波德市當時是一小市，沒有中國餐館，祇有一間由日本人開的小餐館，一週祇開幾天，我在週末星期日飯廳不供晚餐時，就到那間小餐館去吃一碗陽春麵，加點醬油，就覺得很合胃口。有一次學校放春假，美國學生都回家去了，我和另外兩個老外學生，找到了一小電爐（Hot Plate），就去買了一些碎肉和蔬菜，由我做中國菜，被宿舍指導員聞到了，到我們房間來查看，說這是違規的，我們請他嚐了一點，他就不再責備而離開了，可是美國菜雖不可口，營養卻很豐富，不到六個月，我的體重就增加了二十五磅。

我註册後得到入學證明書，就寄去設在美京華盛頓的華美協進會領取雲南省的獎助學金，並立即歸還向林南園學長借用的美金四百元，同時按照教育部留學考試及格人員購買外匯規定，辦理下六個月的外匯申請手續，託我二弟汪璞再向林南園學長借美金四百元，在黑市賣出，購得官價外匯美金九百元，除歸還所借四百元外，其餘留作學費。當時國共內戰加劇，國軍節節敗退，國民政府開始準備遷都，外匯短缺，幾個月後，想申請第三次官價外匯，就沒份了。幸而有雲南省政府的獎助學金，仍可繼續求學。至於雲南省教育會原來要給我的獎學金，也就無疾而終了。

在學生宿舍住食有個好處，就是天天都講英語。那時，科大的中國留學生，總共有二十人左右，祇有幾個住在學生宿舍，也祇有晚上在飯廳桌上做功課或在圖書館報紙閱覽室看中文報時有機會見面，談談時事，其餘時間都與美國學生在一起，對說與聽都有很大幫助。凡學習外語的人，對自己的程度是否已達到水平有一個很好的衡量標準，就是你在講話前，是否要在腦子裡先把中文譯成英文再說出口，若你尚不能以英文思考，而必須先在腦裡把中文譯成英文，就表示你的英文，還不夠水準，我初到美國時，英文就不夠水準，所以得加倍努力，住在學生宿舍裡，經常有鍛鍊機會，幫助不小。

我入學後的第一學季，到六月初就結束，接著就是暑期班開始，我繼續註册上課，仍住在宿舍內，暑期班時間較短，很多學生都是來自各地的小學教員，趁小學放假期間，到大學裡來進修，讀碩士或博士學位。我因英語發音欠佳，就去找一位專教說話口齒矯正（Speech therapy）的教授，由他指派班上學員，也是小學教師的柏林（Barlin）女士做我的指導，把我當做她的實驗品，由她教我怎樣發音和講話，作爲她的研究材料，這對我也是一個很大的幫助。

在暑期班快結束時，外國學生指導處問我，在暑期班結束後，下學年開始前的兩個星期，是否願意到兩家美國家庭去作客，體會美國人的家庭生活。我說願意去，並選了一工人家和一農民家，每家住一星期，首先去丹佛市（Denver）的邁可（Michael）先生家。邁可夫婦約六十歲左右，先生在一傢俱製造公司做木工，太太不工作，是很好客的基督教徒，我在他家和他們共進早午晚餐，和他們去進教堂，晚飯後到公園裡去，坐在草地上聽廣播的古典音樂，並由他們的已婚獨子帶我到他工作的一小公司參觀。一週過後，就由農場主人朗伯特（Lambert）先生夫婦接我到他家去。因爲我高中時是學森林的，也是在農村生長的，對美國的農民生活特別感興趣，這給我一個很好的機會，去體會美國農民的生活。

朗伯特先生的農場，位於丹佛市東北約一百英里的羅根縣（Logau County），是比較乾旱的高原地帶，農作物全靠天雨，沒有灌溉渠，所以他家的農場比較大，約有四百英畝（一英畝等於中國的六畝），住宅就建在農地上，與鄰近農家有相當距離，拖拉機汽車和農具都放在倉庫內外，家中用水是用風力輪機從水井中抽取，家中有抽水馬桶，有電燈和煤氣爐，煤氣是由商家用大車送來供應，所以一般生活用具和生活條件與城市居民差不多，我去的時候，玉米已經收割完成，算是農閒時期。

我和他們一家同吃同住，跟他們去幾英里外的一個祇有二十戶左右的小鎮上教堂，參觀他們的學校，朗伯特先生夫婦有兩個男孩，小兒子有兒童痲痺症，在上小學，大兒子上中學，已能駕駛拖拉機，他要我試開拖拉機，我從來沒有學過駕駛，手足不知所措，幾乎撞上他家的小儲藏庫。有一天他們帶我到十哩外河邊的一個日本人農家購買蕃茄，自己蒸煮裝罐，這位日本農夫是從日本移民來的，看見我和他們是相貌相似的東方人，馬上跑去家裡拿一份日文報紙給我看，我以前在大學時曾經學過一年日文，雖不能講，但日文有很多字與中文一樣，我就把一段新聞用英文說給他聽，他很高興，誇獎我很聰明，並說他有五個女兒，其中一個也在科州大學求學。

訪問快結束時，有一位美國農業部土壤保持局的工作人員到訪，要朗伯特先生帶我去參加週末在丹佛市舉辦的西部家畜展示大會，因爲他在大會場設有一個攤位，宣傳水土保持工作。我們到了會場，他給我們每人一個布條掛在衣襟上，算是他的工作人員，大會場除有各式各樣的農業機械展覽和各種牛羊的評比外，還有牛仔騎牛騎馬的競賽，很是熱鬧，也使我大開眼界。

暑假過後，就回學校註册繼續上課，這時學校新建的學生宿舍已完成，我被分配到新宿舍的一間兩人房，與一大學二年級的學生同住。這間新宿舍設備不錯，各人有一書桌，可以在宿舍內做功課，還有暖氣。食堂則在一幢女生宿舍的樓下，冬季天氣很冷，有時到華氏零下二十度，到飯廳吃飯和去教室上課，都要走一段有時積雪很深的路，除手套和厚大衣外，有時還要帶上防凍耳罩，這是我以前在家鄉甚至在陝西也沒有經歷過的。

一九四八年底，共軍已佔領整個東北，開始圍攻北京，國民政府發行的金元券，也在加快貶值，蔣經國先生奉命到上海「打老虎」，想抑制投機炒買官商勾結所造成的混亂局面，也逐漸失敗，國內惡耗不斷傳來，對留學生的心情有很大影響，像我們自費留學，而要靠買官價外匯的人，更是困難，有的已停學去打工維持生活，我幸而領到雲南省的獎助學金，暫時未受影響。

一九四八年是美國總統的大選年，杜魯門總統競選連任，與他的對手共和黨總統候選人當時是紐約州州長的杜威一爭高下。杜魯門坐火車到各地演講拉票，九月間的一天，到了丹佛市，在一廣場發表競選演說，我特地從波德市坐公共汽車去參加聽講，祗見廣場裡聚集了很多人，有的手持支持他的標語，他在特別搭建的講台上演講，攻擊共和黨控制的國會爲不做事的國會，並用兩手同時上下移動像剁肉一般的手勢來加重他的語氣，使我第一次看到美國競選的實情。當時一般人都認爲杜魯門會輸給杜威，所以在十月二日開票的晚上，計票未完成前，紐約時報就搶先印出次日的晨報，以大標題宣示杜威當選總統，但計票的結果是杜魯門勝利。第二天許多報紙在頭版刊登杜魯門兩手拿著擺烏龍的紐約時報，滿臉笑容向人展示的照片，很是得意，而開票前聲勢浩大，已準備就職的杜威，則滿臉無光，祇好認輸，使此一次競選成爲美國政治史上的一大奇聞。

秋季入學是我在科大的第三學季，就得準備開始寫碩士論文，得到指導教授里奇邁爾的同意，以「一九三〇年到一九四八年的中國人事制度」爲論文題目，函請在南京工作的政大同學劉錫齡兄採購國民政府考試院發行的考選與銓敘法規，作爲主要資料，並在科大圖書館中國歷史收藏室找到文獻通考與通志等古籍，作爲參考。寫第一章通論時，一開始我就說，大家都知道指南針、紙、印刷術和火藥是中國的四大發明，但很少人知道，用考試制度來選拔官吏的人事制度，也是由中國創始的，中國從唐朝開始就建立了考試制度，一直沿用到清朝末年，英國的東印度公司首先採用了中國的考試制度，在印度實施，後來傳到英國，再普及到西歐國家，中國國民革命軍北伐成功，在南京建立國民政府的五院制度，考試院就從一九三〇年開始辦公務員考試，將考試及格人員分發到各政府機關錄用。我寫的中國人事制度就是從這時開始，到我出國留學的一九四八年爲止，根據考試院發佈的規章，和我自己參加高等公務員考試的經驗，對這一階段內中國的人事制度作一詳細分析和描述。因爲我那時的英文寫作不夠流利，由一同學介紹我去找一位專教英文作文的教授，請他指正，每寫好一章就拿去請他過目，作必要的改正。就這樣一章接一章，直到完成，得到指導教授的通過。

就在我寫論文期間，國內內戰情況對國軍越來越不利，社會動盪不安，我母親和妻子帶著兒子到昆明去暫住，我得寄點生活費給她們，錢愈來愈少，所以到冬學季於三月初結束後，我就不再住學生宿舍，搬到一租給退休窮老人的老舊寓所，租了一間由屋主供給床桌的單人房，裡面有一小煤氣爐，可以自己做飯，租金每月僅十五元，比住學生宿舍要節省很多。另有幾個中國和日本留學生，也先後住進這棟寓所，成為中國窮學生的一個中心。

一九四九年一月，保衛北京的國軍將領傅作義投降，共軍佔領了北京，隨著就是淮海大戰，國軍一敗塗地，共軍乘勝渡江南進，五月攻入上海，南京與武漢相繼淪陷。我們這批留學生，成了熱鍋上的螞蟻，不知所措，經濟越來越困難。就在此時，美國衆議員周以德（Judd）先生在國會提案，由已勾銷的援華款中，撥出一部份救濟中國留學生，得到國會上下兩院通過，交由國務院執行。國務院最初規定，衹有學公共行政、經濟和工程的才可以申請領取，我是學公共行政的，所以先得到了國務院的助學金，除學費外，還每月發給生活費九十元，使我們能夠繼續求學，實在是很大的恩惠，使我終身難忘。

同年五月我讀完碩士課程，論文也獲通過，得到了公共行政科學碩士學位。於畢業典禮後，乘灰狗巴士從波德市啓程，經丹佛、堪薩斯州的堪薩斯城、米蘇里州的聖路易、肯塔基州的路易維爾、田納西州的諾克斯維爾、美京華盛頓、賓夕凡尼亞州的費拉德爾非亞，到紐約市。再由紐約市到尼加拉瓜大瀑布，然後經密西根州的安納堡底特律、伊里諾州的芝加哥、尼布拉斯加州的奧瑪哈、懷俄明州的賽原回到波德市，一共走了約四週。沿途大多數都住青年會招待所，在當地找中國雜碎館吃中國餐，並參觀當地的博物館或名勝，與老同學及友人晤聚，見聞不少，尤其值得一提的有如下述。

在科大新宿舍和我同住的查爾斯愛爾德（Charles Elder）君，是路易維爾人，我到該市時，由他和他的父母招待我住在他家。他們的膚色和白人差不多，但棕色的頭髮是捲曲的，眼珠也是黑的，我和他同住時，不知道他是黑人。住進他們在黑人區的家後，有鄰居的黑人來訪，才知道他們是黑人家庭。待人很熱忱，帶我去參觀該市名聞全球的賽馬場，並與他們交好的白人教授晤談。住了三天後，他們送我到巴士站搭車，赫然發現候車室裡分成兩間，一間寫的是白人候車室，另一間是黑人候車室，我不管三七二十一，就進入白人候車室。上灰狗巴士後，也發現前半部坐的是白人，後半部坐的是黑人，我也不管他，就坐在白人席上，這時我才親自領會到美國黑人所受到的歧視和不平等待遇。到了田納西州的諾克斯維爾市，也是歧視黑人的地方，我找到一家小中國飯店去吃飯，和廣東人老闆談起這件事，他說在美國南方，黑人的地位很低，勸我不要和黑人往來，我不大以爲然，因爲我知道，在美國的華僑也是被白人歧視的。

我之所以去諾克斯維爾這個不大的城市，主要目的是去參觀有名的田納西河谷開發區，該區是由美國聯邦政府主導開發，建有大小七座多功能水庫，兼有防洪發電航運與休閒用途，使這個原來常有水患的貧窮區得到發展，並成爲主要水電基地，很值得中國仿效。

在諾克斯維爾的青年會招待所住了一晚，參觀了一座水庫後，就乘車去美京華盛頓特區觀光，和另一友人會合，參觀了市區的名勝如白宮外圍、林肯紀念館、傑佛遜紀念館、華盛頓紀念塔、國會大廈、國會圖書館等等。並參加一地方觀光團，去參觀五角大廈和美國獨立革命統帥和第一任總統華盛頓的故居。華盛頓故居是一農莊，位於華盛頓郊區波托美克河畔，上面有他夫婦兩人的古式大住宅，他自己的墓園，和替他耕種田地的奴隸住房等。就我個人的觀點來說，華盛頓是美國和全世界民主國家最偉大的總統，他做了兩任總統，就堅持不再競選連任，給美國立下了總統祇做兩任的傳統，沒有一點貪權的心態，這是很了不起的政治偉人，值得後人崇敬與學習。

離開美京華盛頓，就到費拉德爾菲亞去拜訪在賓夕法尼亞大學唸書的華寧同鄉與至交趙崇齡兄，在他租住的地方下榻，由他帶領去參觀他的校園和美國獨立革命紀念館。該館是英國殖民時代十三州代表開會地點，於一七七六年七月四日通過獨立宣言，脫離英國的場所，從此以後，每年七月四日就成了美國的獨立紀念日，所有政府機關，學校，銀行，郵局等統統放假，並燃放煙火，熱烈慶祝。費城是一座很老的城市，許多街道住房和地鐵，都很老舊，夏天也很悶熱，與其他後起的城市比較迴然不同。

從費城到紐約市路程很短，到了之後，就由新婚不久的政大同班同學羅金水兄夫婦招待在他家小住。當地的中國城，沒有舊金山的中國城大，街道的雜亂，和舊金山的中國城大同小異。當時那裡有兩份中文報，一份是美洲日報，是由親國民黨的華僑社團安良工商總會支持的，政大同期同學梁聲泰兄是當時的總編輯，羅金水兄也在那裡工作過。另一家是華僑日報，是由親共產黨人士主辦的，兩報常打筆墨官司，互相攻擊對罵，與國內的內戰相呼應。梁兄不僅與華僑日報筆戰，也大膽批評國民政府，曾經寫過一篇「殺孔宋以謝天下」的社論，引起一點政治風浪。

紐約市是全世界最大的金融中心華爾街所在地，也是聯合國總部的所在地，當時的帝國大廈（Empire State Building）是全世界最高的建築物。我在那裡住了幾天，除在唐人街（即中國城）訪友和在鄰近的猶太人區逛街外，曾登帝國大廈最高瞭望台俯視全城，進有名的電台城（Radio City）看看它的舞台，和去老舊的哥倫比亞大學校園走走，隨後就與幹校研究部一期同學莫其鑫兄相約，乘車去紐約州北部的水牛城，遊覽全球聞名的尼加拉瓜大瀑布。

尼加拉瓜大瀑布位於美國與加拿大交界的河上，由兩個不相連的瀑布組成，最大的是在加拿大一方的馬蹄鐵大瀑布，水勢洶湧，落差甚高，猶如一塊白布，瀑布下浪花滾滾，雨霧彌漫，聲震如雷。另一瀑布是在南岸美國境內，名叫美洲瀑布（American Fall），水勢較小，落差也較小，但也很壯觀，我們買了船票，乘小艇開向馬蹄鐵大瀑布（Horseshoe Fall），祇到距瀑布八十英尺處，已覺寒氣逼人，雨霧灑衣，不能再向前進，據說在加拿大方面觀看大瀑布，比在美國方面更佳，但我們沒有過橋到加拿大境內去，不無遺憾。

我和莫其鑫兄在水牛城分手，他回紐約市，我則乘車經過彼茨堡和俄亥俄州的克利夫蘭德市到密西根州的安阿堡，拜訪在密西根大學求學的雲南同鄉朱應庚兄，參觀他們的校園。住了兩晚，就乘車到美國汽車重鎮底特律，參觀福特汽車公司的汽車裝配廠，該公司的創辦人亨利福特是流水式汽車裝配法的創始人，由於他這一發明，才能大量生產汽車，降低成本，使汽車成爲全世界的主要交通工具，造福人類，厥功甚偉。

參觀福特汽車裝配廠後，繼續乘車到芝加哥，造訪當時在那裡經營外賣中餐館的政校十期同學譚志曾兄。他是經教育部第一屆自費留學考試後到美國來留學的，後來與一華僑小姐結婚，自己獨立經商，其後又加入芝加哥最大的中國飯館好世界任總經理，成爲芝加哥僑領之一，這是後話。當時還有在威斯康辛大學求學的政校同班同學周策縱兄在芝加哥做暑期工作。我們原約定一同去參觀世界有名的芝加哥屠宰廠，但周兄因事誤點，我就一人獨自去參觀。那時開放參觀的祇有屠豬廠，是流水式作業，豬群被趕進一窄欄，由工人逐一將豬後腳吊在一轉動的鐵鍊上，進入一小車間，那裡有一工人向豬頸捅一刀，血流遍地，死豬從鐵鍊解縛後，墜入一大滾水鍋內，被一鐵筐夾住，在滾水中旋轉，除去豬毛，再一一吊上另一轉動的鐵鉤，進入另一車間，在那裡逐步肢解，送進包裝部出貨，非常迅速有效，使我大開眼界。

芝加哥是美國中部最大的城市，歷史悠久，市中心比較老舊，有名的私立芝加哥大學附近也是一樣。市中心有高架電車，聲音震耳，祇有城東的密西根湖畔景色宜人，還有遊樂場，是芝加哥的風景區。市內也有一唐人街，比較小，但中餐館禮品店與中國雜貨店都有，是美國中部最大的唐人街。

在芝加哥參觀完畢，我就去芝加哥城南不遠的格里市拜訪在那裡工作的雲南同鄉和政校同學武希轅兄，他工作結束後，夜間帶我去見識見識美國的脫衣舞。格里市是印地安納州最北部的一個工業城市，以煉鋼爲主，工人很多。他們有些白天辛苦工作，夜間就到有脫衣舞的酒吧去消遣，一面喝酒，一面看脫衣舞。舞孃在台上隨音樂走動，逐一脫去上衣，乳罩，短裙，最後背向觀衆脫去三角形內褲，引得觀衆一片喝采。舞孃下台後，穿好衣服，到台下與觀衆交談，陪客人飲酒，替店主多賺酒錢，那些嗜酒的觀衆，也樂於解囊買醉，這是美國工人生活的一面，在其他國家恐不多見。

說起武希轅兄，他在政校大學部唸的是新聞系，畢業後回雲南昆明，在林南園兄主辦的正義日報工作，一九四五年被派到美國擔任記者，我到美國科羅拉多大學，就是託他代爲申請的，一九四八年起，他就辭去記者職務，留在美國，直到一九五〇年才回國。

與武希轅兄分別後，我乘車經過愛俄華州的底莫因市和尼布拉斯加州的大城奧馬哈市，坐了一整天車，到達懷俄明州的賽原市，住進青年會招待所，就到街上去找中餐館，很快找到了一間兼賣中餐與西餐的中國餐館。在美國很多城市，都有中國人的飯館，幾乎全家都在飯館工作，是海外華人謀生的最主要職業，成本不高，在小城市競爭也少，比較容易立足。雖然祇有普通的雜碎和炒麵炒飯，但對一般美國人來說，這就是他們所知的中餐，所以這家小飯館的生意還不錯，東主是廣東人，我不懂廣東話，祇能用英文和他交談，據他說他的祖籍是廣東省台山縣，幼年時隨家人移民來美國，國內還有親戚。

在賽原市住了一晚，第二天祇有兩小時的車程，就回到了波德市，這一次去美國中部和東部旅遊，一共花了四個星期，獨去獨回，見聞不少。原來打算周遊美國一次後，就準備回國，但回到波德後，國內傳來消息日愈不利，使我猶豫不決，應該馬上回國與家人團聚呢？還是留在美國繼續攻讀博士學位？因爲我在讀碩士學位的最後一學期，已經領得美國的救濟金，再申請補助大概無問題。若馬上回國，在局勢日非，貨幣急速貶值，人心惶惶，社會不安的情況下，要想找份適當的工作餬口養家，也不容易，想來想去，怎麼辦呢？

我於是寫了一封信向已退休的老前輩金漢鼎將軍請教。金先生和我是忘年交，我原來和他不相識，我被選爲代表華寧縣的省參議員後，才和他結識。一九四七年初，國民政府監察院辦理監察委員選舉，規定每省由省參議會選出監察委員一人，金先生有意競選，於是找我協助，我就賣力替他拉票，雖然競選失敗，我們卻成了好友。我出國時，他還約我到他家聚會送行，所以我去信不久，就接到他的回信說，假如我經濟還可以維持，最好暫時不要回國，於是我就決定暫不回國，繼續申請美國政府給中國留學生的助學金，在科羅拉多大學繼續唸博士學位。

第十一章 在淒風苦雨中讀博士

一九四九年五月共軍渡江佔領上海與武漢，那時正是我讀完碩士學位的時候，每天到圖書館去看中文報，憂心忡忡，因家人仍在昆明，需要接濟，所以非常焦急。我從東部旅行回到波德後，決定暫不回國而繼續攻讀博士學位，雖然已得到美國政府發給的助學金，祇夠付學雜費和最低的生活費，爲了接濟家人，祇好開始去飯館做洗碗工，和另外兩個中國同學輪流去做，每週每人去做兩三個晚上，賺取當時最低的工資，每小時祇得七角五分，始知在美國打工的辛苦。

我入學後不久，中共就在節節勝利後，於十月一日在北京建立中華人民共和國，同月直驅南下，佔領廣州，國民政府遷往台灣，隨著就是雲南省主席盧漢簽投降協定，雲南也就歸共產黨統治，我的家人在不得已的情況下，祇好回到華寧上村老家，但以前祖父母留下的田產，已難收到田租，生活困難。所幸當時還可通郵，一九五〇年初，仍可在舊金山設有分行的一香港銀行匯款回家接濟，到一九五〇年六月二十四日，韓戰爆發，美國參戰，並派第七艦隊保衛台灣，與中共斷絕關係，中共成了美國的敵人，匯款就發生困難。我一邊擔心家人的生活，一邊又要做功課和做零工賺點養家費，心理上壓力很大，眞像熱鍋上的螞蟻。

美國在中共建立中華人民共和國時，原有意和中共打交道，所以美國駐華大使司徒雷登並未離開中國，後來因中共持敵對態度，始行撤退，韓戰爆發後，美國乃採取種種措施，予以反制，其中一項就是鼓勵中國留學生留在美國，把我們的外國學生身份，改爲戰爭期間背井離鄉的人（Displaced person），可以留在美國，並可進一步申請入籍，成爲美國公民。

中共對留美的中國學生也採取了爭取的政策，由總理周恩來發表歡迎和鼓勵留美學生回國的談話，隨著就有留學生陸續回國。一九五〇年十月，在賓州大學研習的好友趙崇齡兄決定回國，約我一起回去，我當時有點心動，但又覺得已開始攻讀博士學位，棄之可惜，決定暫不回去。崇齡兄在返國途中，曾到波德市來看我，我順便買了一些維他命丸，請他帶交已回到華寧的幼兒服用。不幸當時中共已發動土改，家鄉動盪不安，結果沒有收到，這也難怪。因爲當年回國的留學生，由香港進入國門，第一件事就是要到廣州的廣播電台廣播，罵美帝國主義，然後到北京報到，參加思想改造，才分配工作。所以當他回到昆明時，各縣清算地主富農正進行得如火如荼，什麼都被抄光，家人怎能收到。

趙兄回到昆明後，寫了一封信給我，簡述了他回到昆明的經過，和家鄉土改鬥爭的情況，並說我認識的那些「劣紳惡霸」都已被公審槍決，然後他就沒有再來信。接著就是武希轅和朱應庚兩兄回國，武兄回國時，我要求他用暗語告訴我一點當時國內的情況，但他回去後，很久都無來信，約半年後，收到他的一信說，他回去後，在改造思想期間，寫了幾次歷史交代，才得過關，若我要回去，就該早些，也許是暗示我不要早回去。

在這段期間，留美中國學生受到周恩來號召回國的影響，學工程和科學的，就發起組織科學協會（簡稱科協），響應周的號召，並排除學文、法、商的人參加，有些不是學科學和工程的，也積極活動，表態擁護中共政府。那時在科羅拉多大學的中國學生祇有二十多人，開始分化，其中有一位來自四川省的董時光，沒有讀正式學位，特別熱衷，公開支持共產黨，罵我們以前和國民黨有關係的人爲反動份子。有一天他向外國學生指導處的秘書表示他是共產黨，把那秘書嚇了一跳，立即報告指導處主任，其實他祇是共產黨的外圍份子，他家是四川的大地主，他的異母哥哥董時進博士，曾經是中國農民黨的黨魁，當時住在美國，沒有向共產黨靠攏。他積極活動表態，主要目的是想建立擁共形像，以便將來回國時，可以得到重用，爲此他在得到美國移民局要他離境的通知時，故意不走，要讓移民局驅逐他，使他在共產黨面前更有功勞，後來美國移民局眞的把他驅逐出境。據說他回國後，並沒有得到中共的特別優待，恐怕還受到一些屈辱，所以在毛澤東提倡百花齊放百家齊鳴時，他就批評了共產黨，這些大鳴大放的人，後來被毛澤東指爲大毒草，統統被關入勞動營改造，董時光就被關進勞動營，死在勞動營裡，據說，他的哥哥董時進曾寫了一篇文章敘述此事，但我沒有讀過，這是後話。

一九五一年初，華寧家鄉的土改和清算鬥爭愈演愈烈，已不能和柏齡通訊，祇從在昆明的汪璞與汪璠兩弟處得到一點消息，也是語焉不詳，我猜想當時我母親妻子和兒子已被掃地出門，家中所有財物已被完全沒收，人被關挨打，無處住、無飯吃，已陷入絕境，我寄去的錢，一定也被沒收，但我還是去做零工賺點錢準備給家用。暑假期間，我和另外兩個中國同學，到距波德市約二百五十英里外的巴利西小鎮的桃園做採桃工人，住在工人房內，每天從早到晚，身前掛一大布袋，每人一架木梯，上梯採完一棵又採另一棵。因爲是論件計工資，大家都盡速採，每裝滿一籮筐（約四十磅重），可得工資美金七角五分。最多的一天，我採了七十六籮筐，筋疲力竭，桃毛沾在手臂上和頸背上，即使用水沖洗，仍然奇癢無比，很是難受。做了約十天，所得工資扣除餐費外僅剩三十多元，這才體會到美國農業勞工的辛苦和待遇的低微。

從桃園工作回來就註册上課，忽然於一九五一年十一月十九日接到璞弟來信，說我的兒子汪彥良已病死，要我及早回國，安慰我妻柏齡，據璞弟說我兒子是十一月一日死的，他是一九四七年四月十一日出生，我離家時才十個月大，不到五歲就死了，使我非常傷心。說起來很奇怪，在接信的前不久，我夜間做夢，夢見我兒子和我說話後就離開，想不到這是眞的一場悲劇，我猜想他一定是餓死的，因爲有許多報導說，從一九五一年下半年開始，到一九五二年土改期間，一共死了幾百萬人，他就是其中的一個，從此以後家中音信就中斷了。

就在噩耗傳來後不久，學校通知我，要舉行博士生鑑定考試（Qualifying Examination）。我選讀的主系（Major）是政治學，第一副系（First Minor）是經濟學，第二副系（Second Minor）是工商管理，但讀哲學博士學位（Doctor of Philosophy or Ph. D.）的，要通過兩種外語考試（讀教育博士 Doctor of Education or Ed. D.的就不需要外國語），我已選修了兩學季的法文，加上中文，應該算是兩種外國語，但因我是中國學生，已精通中文，而寫論文要用英語，所以要我通過英文考試，由英語系系主任主考。記得考試那天，我到他辦公室去，他指定我即時寫一篇介紹我自己的短文，我寫到兒子剛死去，家破人亡的時候，悲從中來，心思紊亂，寫得零亂，結果祇得了一個僅足以通過的評語。法文則祇考翻譯，把指定的法文書翻譯幾段成英文，就得到通過，至於其他已選讀過的各種課程，每學季考試的成績都不錯，用不著再考，於是我就可以開始準備寫博士論文了。

寫什麼專題呢？這是很費思考的問題，我不想再寫與中國有關的東西，而想寫一點中國可以借鑑的課題，想來想去，想到我高中時代讀的是農校森林科，又是出身農村，對農田水利一向有興趣，而在大學時代和來美國讀的碩士學位是公共行政，對行政計劃與效率等，曾做過專題研究，而美國的農業在全世界是最先進的，於是想到當時美國農業部爲促進米蘇里河谷區的農業水利發展而作的研議工作。經與我的論文指導教授里奇邁爾博士（Dr. Leo C. Riethmayer）商討後，得到他的同意，以美國農業部在米蘇里河谷的規劃研究（A Study of the Planming Activities of the United States Departmeut of Agriculture in the Missouri River Basin）爲題目，開始搜集資料，撰寫論文，並借此來舒解爲擔憂國內親人受害和失去愛子的痛苦。

因爲這是比較新和比較專的課題，科大圖書館裡的資料不多，我必須到其他大學的圖書館去找相關資料，和去聯邦政府的農業部訪問有關官員，搜集第一手資料。此時讀博士學位應有的學分已將近完成，多半時間就花在論文上，我曾專程去位於科州福特高林市的農工學院和位於懷俄明州拉喇密市的懷俄明大學的圖書館閱讀資料，請科大的圖書館向其他的圖書館借資料，也專程到丹佛市外的聯邦政府中心，與駐在該地的農業部專家訪談，把所有搜集的資料加以整理分析，然後分章撰寫論文，交給指導教授審閱批准。同時美國政府，也在給我的助學金外，加發訪談旅費和請打字員打論文的打字費，實在是很大的幫助。

爲了搜集資料，我在丹佛市一個短住公寓住了一星期，認識了幾位在丹佛大學和科大丹佛分校求學的中國同學，並和他們去特別愛護中國學生的帕爾斯（Paree）先生夫婦家中作客。這對美國夫婦對中國留學生的友善是至高無上的，他們兩人都是科羅拉多大學畢業，男的是一家工程公司的主任工程師，女的沒有工作，一切家務和社交都全由她主持，把中國留學生當作她的家人看待，甚至把家門鑰匙交給幾個中國同學，即使她們不在家，也可開門進去。每逢週末，都有大批中國學生在她們家聚會，共同做飯食用，很是隨便，中國學生有什麼問題，她們都極力幫助解決，這種友善好客的親熱程度，眞是少見，在我心中留下很深的印象。

我的博士論文於一九五二年夏學季完成，經教授們口試通過，並將論文摘要交給科州大學公報（The University of Colorado Bulletin）印行，即完成一切手續，於六月初參加畢業典禮，獲頒博士學位證書，正式獲得博士頭銜。在這一畢業典禮的隆重過程中，幾乎每個獲得學位的畢業生都有至親戚友參加祝賀，我卻舉目無親，難免有缺失的感覺，想不到典禮完成後走出大禮堂時，竟有一位認識不太久的年長美國老太太安娜羅德（Anna Rold）女士在外面等我，送給我一件白襯衣作禮物，並給我一個深吻說，從今天起我就是她的義子，使我非常吃驚和感動。原來約一年前，她經過外國學生指導處邀我和另一中國同學到她家裡吃聖誕節火雞餐，認識後又和她見過幾次面，有一次她戲言要收我做義子，當時我祇唯唯諾諾，這次她眞的付諸行動，使我非常感動。從此我就呼她乾媽羅德（Mother Rold），這段關係一直維持到一九七零年代她逝世時爲止。

將近三年的讀博士生涯，總算在淒風苦雨中度過了，在這三年中，中國大陸發生了翻天動地的變化，我承受了家破人亡的慘痛，再加上學業上的壓力和生活上的堅苦，是我有生以來的最大挑戰，我沒有因此被打倒，算是幸運。在這段期間，我最悲傷的時候，得到了同學江聲鑣夫婦的安慰與同情，這種友情，彌足珍貴。這時就要離開已居住過四年多的波德市，覺得有些戀戀不捨，這個洛磯山東麓的大學城，民風淳厚，景色宜人，又是一座文化城，特別吸引人。在人際關係上，除了上述的幾位外，特別值得懷念的是亦師亦友的兩位教授，一位是里奇邁爾博士，他是研究院公共行政部的主任，也是我的論文指導教授，他不祇是公共行政的專任教授，還是波德市政府的顧問，並擔任過一任市議員，具有公共行政的實際經驗，在他指導下畢業的公共行政系學生有幾百人，頗受尊敬，他的太太是位小學教師，他們夫婦倆人對我特別關愛，逢年過節，都約我去他家。畢業後我搬到加利福尼亞州工作，他們蓋了新屋，寫信告訴我，有一間房是準備我們回去訪問時留給我們住的，他們到加州時，還特別到市德頓市來看我們，直到現在他們倆都已高齡九十多歲，住進老人公寓，我們每年還有書信往來，是一永恆的友誼。另一位是政治學教授馬力克（Clay Malick）博士，他們夫婦倆對中國學生很親熱，約我們到他家吃飯，帶我們到洛磯山國家公園去玩，非常隨和，毫不拘束。這種友情，非常眞誠，後來他中風臥床不起，住在丹佛市的中國同學還不斷去看望他，就是這種深厚友情的表現。

我對波德市的景物雖然依依不捨，但天下沒有不散的筵席，祇有抱著賦別的心情，收拾好行李，離開波德市。

第十二章 崎嶇的道路

畢業後的第一件事，就是到那裡去找工作？在離校前，我曾去看外國學生指導，他主動寫了一封介紹信，叫我拿去找他認職的丹佛市一家橡膠廠主管人事的朋友，這位人事主管和我談話後說，他將交給一下屬辦理，叫我等候回音，我等了幾天無消息，就打電話去問，他說沒有適合我的空缺。接著我自己到一家大油公司去求職，那個職員很不客氣的告訴我，他們公司不僱用東方人。那時美國還是種族歧視很普遍的時候，沒有保護少數民族的民權法案，他敢說這種歧視的話，因為在當時是沒有法律責任的，要是現在，這是犯法的行為，受歧視的人是可控告他的。

既然找不到白領工作，為了生活，祇得求其次，去當勞工，在一家專營西部牛仔裝上衣的製造廠做出貨員，依照接獲的訂單，從倉庫中撿貨，包裝運出。老闆是猶太人，工作人員除猶太人外，幾乎都是少數民族，如墨西哥人，日本人和我，老闆對工作人員不錯，我做了祇兩個多月，到九月猶太人過節時，每人都給分紅，很有人情味。但這不是正途，我不能不另謀出路，於是決定離開丹佛市，另求發展。於一九五二年十月乘火車經鹽湖城及洛杉磯到舊金山，參觀沿途名勝，鹽湖城是摩門教的發祥地，建有全世界最大的摩門教堂和摩門教的總部，該教有些神迷色彩，在教堂建築群裡，有些地方是不許外人參觀的。教堂裡有大風琴，高大的音管幾及屋頂，排列整齊，非常壯觀。城外的鹽湖，水中鹽分很濃，據說在湖裡游泳很容易，不必用力，就可浮在水面上，湖裡有很多海鷗，摩門教徒把它們視為神鳥，不許傷害它們。據傳摩門教徒初抵該地時，開荒種植農作物，某年大旱，蝗蟲滿天飛，降落地上時，把農作物全部吃光，正當緊急關頭，忽然有大批海鷗降臨，把蝗蟲吃掉，農作物得以保存，摩門教徒因此非常感激，把海鷗視為神鳥。

距鹽湖城不遠的一個山谷裡，有一座美國最大的露天銅礦場，我也慕名去參觀。該礦場已開採幾十年，由地表逐層向下開採，是一個很大的圓形礦坑，已有幾十層深，用機器挖出的銅礦砂，由載重車從底層繞行若干圈，運到地表上的處理廠，很是壯觀。

在鹽湖城參觀完畢，我繼續乘火車到洛杉磯，在那裡得到政大外交系同學時任中國駐洛杉磯副領事錢正聲兄與科大同學吳道孚兄的接待，在青年會招待所住了幾天，參觀有名的好萊塢，也去過當時設在一個小店舖裡的中國領事館。當時的洛杉磯空氣污染很嚴重，出街走走，眼睛就會受空氣刺激而發癢流淚，很不舒適，不是我喜歡的地方，於是就乘南太平洋鐵路的火車到了遠近知名的舊金山，由科大校友謝克敏兄協助，搬進一華人開設供人長住的小旅館住下。

當時我面臨的大問題，是如何選擇應走的道路，何去何從，很費思索。回到大陸嗎？這是一條非常危險的路，自中共於一九五〇年十二月參加韓戰後，積極發起抗美援朝愛國保家運動，號召留學生回國。但許多人回國後，都沒有好結果，以我的背景和家人的悲慘遭遇來看，回去是死路一條，絕對不能採取。第二項選擇是到台灣去，因我是政大和幹校畢業，撤退到台灣的師長同學甚多，回去找工作大概無問題，一九五〇年有三位科大畢業的校友回台，都在大學裡擔任教職，但他們都有家屬在台，回台可享受天倫之樂，而我除當時在左營中國海軍服役的小弟汪瑋外，別無親人，去台灣是孤家寡人，不見得幸福。而且當時台灣有許多人都想來美國定居，但因受美國移民數額限制，很不容易，所以我考慮再三，決定留在舊金山，一面工作，一面觀望時局發展。

那時韓戰尚未結束，中共是美國敵人，而台灣國民政府仍是美國盟邦，駐舊金山的中華民國領事館，是外交部駐國外的一個主要機構，政大同學徐恩宏兄當時在該館任副領事，我就去看他，談到想在舊金山找工作的事，他立即帶我去見那時在少年中國晨報任總編輯的吳思琦兄，他是校友也是同期同學阮學文的配偶，一見如故，馬上決定要我到少年中國晨報幫忙。

徐恩宏與阮學文兩位都是我在中政校大學部第十期的同學，在校時同期約一百八十人都是集體生活，徐同學原讀經濟系，畢業後參加高等考試外交人員考試及格，進入外交部工作。阮同學是讀教育系，來美國留學，與吳思琦兄結婚，當時在美國之音廣播電台工作。我們在校時，在同一飯廳吃飯，同時參加軍事訓練，早操，升旗典禮和夜間點名，但因系別不同，在不同教室，雖然互相知道是同學，卻少交談機會，可是畢業後在異地相逢，則一見如故，情同手足，這恐怕是在所有中國公私立大學中少有的。

少年中國晨報是孫中山先生於一九一〇年三月創辦的黨報。當時舊金山中國城共有四家中文報館，除少年晨報外，還有胡漢民創辦的民族報，美國同源會主辦的金山時報，和以前保皇黨主辦的世界報，爲了方便老年華僑閱讀，都是採用中號鉛字印行，世界報還加印一頁英文版。每間報館都供給員工中餐或晚餐，少年中國晨報是供給晚餐的，我就是在該報晚餐時與後來成名的劇作家黎錦陽認識的，他是耶魯大學戲劇系畢業的，當時在美國之音工作，同時在世界報的英文版發表長篇小說「看不見的動物」（Invisible Animal），還由一話劇團演出，他曾約我去觀賞過，其情節就是後來他出版的花鼓歌（Flower Drum Song）的主要內容，曾經拍成電影，哄動一時。

在少年中國晨報工作約一個月，吳思琦兄突然告訴我，該報發生財務問題，不能增加人員，他已託人介紹我去金山時報任編輯。當時金山時報是舊金山中文報中發行量最大，也是財力最好的報館，因爲它是由華僑尤其是第二代華僑組成的美洲同源會主辦的，不屬於任何黨派，所以看的人比較多，每天中午出版。編輯人員每天早上都忙於選擇當日新聞，翻譯成中文，由總編輯決定大標題和小標題，交由印刷部排字印出初稿，再由編輯親自校對更正，然後印出發行。午飯後編輯人員則搜集資料，或撰寫時評（即社論），或編副刊，或將採訪員從警察局取得的有關華人新聞，加以彙編，以作明日排印之用。我的主要工作是撰寫時評，由總編輯和我兩人輪流撰寫，所以我在金山時報工作的三年多期間，曾撰寫了幾百篇時評。

除在編輯室工作外，有時我也擔任外勤工作，參加各種集會，如農曆新年慶會，選美，社團年會，時裝表演等，採訪消息，報社還特別買了一攝影記者使用的照相機，交給我使用，因此我結識了很多華人，也對中國城的內幕有較多的了解，值得一提的，有下面幾點。

我初到中國城時，舊金山還沒有禁賭，中國城內有很多家賭館，每間門外都有一大白電燈照明，和拉客的賭館人員，日夜開賭。據說在賭館內有免費水果和飯食供應，有各種中式賭具，以排九爲主，職業賭徒，販夫走卒，餐館工人參加賭博者，爲數不少。可惜當時我沒有進去參觀，一年過後就禁賭，再沒有機會去一窺賭場面貌，不無遺憾，但許多華人嗜賭如命，地下私設賭窟不少，時有被警方破獲而見諸報端。據說凡能開賭館者，不論是公開的或暗地的，都發了大財，華僑給他們一個頭銜叫「撈家」，不僅在舊金山如此，在其他華僑聚居的地方也是如此。

在我認識的人當中，有些中文名和英文名不一樣，例如中文名是姓陳，而英文名卻是姓蔡，使我不解其故，後來才被告知，他們的英文名是紙頭名（paper name），是向人購買出生紙時的假名，不是眞名，這是由美國排華法案所造成的現象。美國於一八八二年通過的排華法案（Chinese Exclusion Act），禁止中國人移民及購置田地產，凡由中國乘船到舊金山的中國移民，不管三七廿一，先關進位於舊金山海灣裡的天使島（Angel Island）的移民拘留所，審問調查，拖延時間甚久，稍有不合，即驅逐出境。在這種極端歧視和不人道的情況下，中國移民遭受很多折磨，有的自殺，有的悲觀失望，在拘留所的牆上寫了很多詩篇，直到現在，已變成公園的原拘留所內，仍保持完好。但中國人並未因此而停止移民來美，其方法是走移民法漏洞，排華法案容許已是公民的華人眷屬移民來美，於是有些華人就利用這項規定，每次回廣東老家探親回來，就向美國移民局呈報生了一個兒子，並將假出生證賣給想到美國來的同鄉，收取大筆金錢。買得假出生證的人，就冒用出生證上的名字，來到美國，終身不能改變，子孫也不改姓，但他們另有原來的中文姓名，加入原來姓氏的宗親會，這就是紙頭姓名的來源，足以表現中國人在遭受壓迫的時候，能夠以「你有政策我有對策」的方式來爭取生存的能力。

中國城的另一特點是宗親會、堂會和同鄉會林立，這是因早期來美打工的華人，離鄉背井，來到陌生的美洲，舉目無親，爲了相互協助，以求安全，而發展出來的，宗親會是以姓氏爲主的組織，每個人數較多的氏族，都有宗親會的組織，如李氏公所、黃氏宗親會、馬氏宗親會等等，也有由數姓聯合組成，共同追認一個祖宗的組織，如至德三德公所，是由吳翁蔡曹周五姓追認周公爲始祖的組織，更有趣的是龍岡親義公所，是以三國演義中所說桃園結義的劉關張三姓再加上趙子龍而組成的。同鄉會多以縣爲主，如台山寧陽會館、岡州會館、三邑會館等等。堂會則與幫會相似，是以集體利益或政治信仰爲宗旨，如秉公堂、萃勝工商會、協勝堂、安良工商會、致公堂等等。以前發生過的堂鬥，就是因爲堂與堂之間互爭地盤或因成員交惡而發生的。

另外一點是代溝現象比較明顯。第一代由中國來的多是苦力和單身漢，爲的是謀生養家。有的年紀老了就落葉歸根回到中國，有的省吃省用，有了積蓄回中國娶妻生子，然後把妻子接到美國，共同生活，小本經商如飯館，洗衣店，小雜貨商，禮品店之類，或到富有白人家庭當傭工等等。這一代的人，一般知識水準不高，全靠刻苦耐勞謀生，但都有同一想法，決心不讓第二代再過同樣的生活，因此秉承中國人崇尚教育的思想，鼓勵和供給第二代子女去求學，成爲醫師，牙醫，工程師，律師等專門人才，走入中上流社會階層，但也因此造成了代溝。第一代華僑仍鍾情唐人街或中國城的生活，而第二代和第三代多遠走高飛，融入了西方社會，而缺乏與中國有關的知識。

中文報的讀者絕大多數是第一代華僑，因此我們報館同人所接觸的，也以第一代移民爲主，但在工作之外，我所接觸的人，則以滯留美國的留學生較多，也和一些土生華人來往。當時在舊金山海灣區的新舊留學生不少，因爲中國大陸進行血腥的清算鬥爭，大家都憂心忡忡，徬徨等待，有時相聚聊天，有家的可以過正常生活，無家的吃住多半在中國城附近，有時也參加小團體活動，我就在這期間參加了舞蹈班學習社交舞，間或參加舞會。當時徐恩宏兄正在中國駐舊金山總領事館工作，其辦公室就在中國城附近，他的太太包秀珠嫂是我們在重慶政大求學時就認識的，當時在舊金山的聖魯克斯醫院做住院醫生，家住在距中國城較遠的市區。他每天下班後開車到報館來接我，和他一起去小學校接他們的兩個女兒，然後到金門公園和海邊的公路上教我開汽車，所以我也學會了開車，並買了一輛老爺車，在週末和友人出去郊遊，調劑生活。

但我一直覺得在小報館工作沒有前途，在我認識的人當中，有一技之長的不論職位高低都在美國公司工作，待遇比較優厚，無一技之長的則做勞工，以維持生活，像我做的這份報館工作，則是不上不下的，所以我一直想另謀出路。當時有很多人受聘到美國設在蒙特列市的陸軍語言學校教中文會話，待遇比照美國聯邦政府的公務員，比我在報館的待遇好得多，所以我有意去申請，但教中文會話必須說標準的北京話，而我不會說北京話，所以不成功。有人介紹我去中西部一小大學教書，但待遇與報館的差不多，也無好前途，沒有去做。還有美國國防部在史丹福大學設有一短期性的中國資訊室（China Project），主持人是教中國語文的陳姓教授，他有意聘我去參加工作，但祇有一年合同，我不願去。想來想去，若留在美國，必須學一專門技能，走出中國城，才有希望。因此我開始到柏克萊加州大學設在舊金山金融區的夜校去讀會計學，白天在報館工作，夜間就多半去上課和在住處做會計習題，好在我在大學讀公共行政時，曾學過一點簡易的簿計，在高中時代的數學基礎也不錯，學起來不甚吃力。此外我也去市立學院（City College）的夜間部學習會計機（IBM Accounting Machine），當時還沒有電腦（Computer），計算機（Calculator）也剛發明不久，記得當時的教員帶我們到他工作的聯合航空公司會計機部門去參觀時，計算機是一間與臥室相似，佈滿眞空管，熱度相當高的裝置，用電線與會計機連接，計算數字供給會計機使用，印出各種報表。這樣一個龐然大物，其功能遠比不上後來以半導體構成的小袖珍計算機，但在當時，已算是高科技產品。

我到這兩間夜校學習，祇是一種嘗試，爲將來作一初步準備，還沒有決定眞正要走的路，何去何從，還是一個大問題。

第十三章 走出徬徨

在報館工作的最大優點是消息靈通，當時美國有三家通訊社，專門提供各報館國內和國外的新聞，其一是合衆社（United Press），其二是美聯社（Associate Press），其三為國際社（International News Service）。金山時報只和合衆社訂有合同，因它的新聞比較簡短，價格比較便宜，該社裝置的收報打字機，日夜不停，打出該社駐國內外所有記者發出的新聞稿，所以不論在任何地方，祇要有一點特別事故發生，不管是否重要，都有報導。金山時報總編輯的任務，就是從這些衆多的報導中，選出他認為值得登載的，剪下來交給編譯員譯成中文，加上標題，送到排字房，由鉛字架上一個字一個字拿下來排好，再送到印刷廠去排版，印出樣本，經原編譯員校對無誤，始正式付印，於中午發行，所以從早上八時開始到中午出報的這段期間，是編輯部同人最忙碌的時候。

我的工作除翻譯一些時事新聞外，最主要的是寫時評（即社論），已如前述。所謂時評，顧名思義，就是針對當時發生的重要事故加以分析，把事故的來龍去脈說清楚，加以評論，為了力求中肯，必須閱覽書籍雜誌，搜集資料，為此在出報後的每天下午，我都在編輯室內看書看報，選擇主要時事，撰寫時評，對中國大陸所發生的重大事故，特別注意，並希望能在通訊社和香港與台灣的報章中找到與雲南家鄉有關的新聞，但都失望了。

當時正是共產黨在大陸進行清算鬥爭的第一段高峰期，地主富農鄉紳，國民黨及軍公教人員等所謂黑五類，是清算鬥爭的主要對象，不僅要查三代，還要查有無海外關係，這些在報紙雜誌上都常有報導，我家是地主，全靠祖父母白手起家購買的田地田租生活，當然在清算鬥爭中首當其衝，而我不僅以前是國民黨員，做過代表華寧縣的省參議員，現時又住在中共的敵人美國，屬於海外關係，這雙重的「罪名」，必然使我的家人，尤其是我母親和妻子受盡迫害，因此自一九五一年十一月接到我弟弟汪璞來信告訴我兒子死了之後，即再無音信，是死了還是流離失所，不得而知。我多方託香港的友人和當時在中國駐泰國大使館工作的同學打聽消息，等了很久，到一九五四年才有小道消息說，我的妻子關柏齡上吊自殺，我母親不知去向，這些都是在清算鬥爭中，可能的遭遇，但無法證實，祇有繼續等待。

和我有類似遭遇的人，不在少數，不僅當時滯留國外的留學生和華僑有，撤退到台灣的軍公教人員中也有，大家都是在同一條船上，在海浪中漂流。當時在舊金山附近和蒙特勒一帶就有很多單身男女，過著類似的生活，我每天三餐，除午餐由報館供應外，早晚餐都去小飯館吃一人餐，有時和單身朋友同去吃便宜的和菜。星期日是休息日，常去徐恩宏兄家與他和孩子一起出外消遣，因當年徐太太包秀珠是住院醫生，常要值班，並在醫院內食宿，不能常回家團聚，我成了她家的常客，有時他們夫婦倆出去參加宴會，我就是他們孩子的看護人，因此也享受了一點類似家庭生活的樂趣。

我住的地方就在中國城邊沿，當地的華人社團常有集體活動，如慶會，舞會，餐會等等，我有時以記者身份應邀參加，有時與友人相約去參加，因此認識和接觸了許多人，男女都有，在我認識的單身女子中，有土生的，有來自中國和台灣的，也有來自其他國家的華僑，相熟之後，有時也相約去跳舞，看電影或郊遊，但都祇是泛泛之交。有些朋友建議我找個對象，以結束單身生活，但我覺得祇要有一線希望回大陸，尋找家人！我還要等待，所以我沒有申請入美國籍。在那個年代，美國移民法對亞洲人，尤其是中國人限制很嚴，配額很少，要想辦移民常住美國，非常困難，除非與美國公民結婚，否則希望渺茫。有一位從菲律賓來的華僑小姐，對我很有興趣，積極鼓勵我去辦入籍手續，因爲她知道我有因戰爭而背井離鄉之人（displaced person）的身份，申請入籍很容易，所以希望我從速去辦，但我拒絕了，她很失望，在護照滿期後，祇好離開美國。

有一位把我視爲小弟的女店主，給我介紹一位由俄勒岡州來的土生華僑小姐，據說這位小姐的母親很能幹，在俄勒岡州的一個小城經營飯館和農場，相當富有，但當地華人很少，大女兒找不到華人對象，嫁給一白人，她很不滿意，所以強迫小女兒離家到舊金山來，要這位女店主替她介紹男朋友，所以要介紹給我，我推辭說，我將來還要回中國，她是美國土生土長，不懂中文，將來到中國無法適應而婉謝了。

此外要給我介紹女朋友的還有好幾位，甚至台灣的友人也給我介紹要到美國來求學的小姐，我也婉拒了，有位在蒙特勒陸軍語言學校教中文的女士，在認識後曾專程到報館來看我，並寫富有情感的詩寄給我，但我不是詩人，也不會寫情書，祇有令她失望了，當然我有時想要約會的人也會吃閉門羹的。

一九五四年秋的一個週末，我到徐恩宏兄家去，適值與包秀珠嫂同在聖魯克斯醫院做內科住院醫生的倪復初女士在她們家做中國點心，準備帶回醫院給同事吃，初次見面，沒有多談，後來秀珠嫂告訴她我的情況，引起她的注意，同時也告訴我她的情況，於是我們兩人便開始約會，但次數不多。當時我也許因爲天天在小飯館用餐，開始有低血糖症，血糖過低時會出冷汗，甚至發抖，但我當時沒有去看醫生。還有每年春天，我都會有咽喉痛鼻塞等類似感冒的症狀，當時不知道就是敏感症，一九五五年春，敏感症和流行性感冒發作，使我病倒，獨自在小房間養病，復初知道了，特地帶著抗生素和其他藥品到我住處來看我，給我服藥，回去後並常打電話問我病情，使我非常感動，病癒後，我們的交往就多起來，有了相互愛慕的感情，最後談到婚姻大事。當時有兩大問題，第一她是非常虔誠的天主教徒，她的叔父和一個哥哥都是天主教神父，依照天主教教規，教徒不能和離婚的人結婚，除非得到教會的特許，也不能和不是天主教的人結婚，除非對方接受天主教教義，並保證將來子女要受洗禮爲天主教徒，第二對我前妻關柏齡的亡故，要有死亡證明，或依法作死亡宣告，爲了解決這兩大問題，我們都花了很多時間才達到目的。

在教會方面，因她以前曾有過一次因教會遲不點頭而失去結婚機會的經驗，這次特別注意與神父溝通，由我到神父那裡聽講，認識天主教教義，並同意簽字保證將來子女一定要信天主教，這些要求我都接受照辦，總算通過這一關。至於我前妻的死亡消息，照中國法律，若經過三年以上無音信，可依法宣告死亡，當時我還是中國公民，所以託友人在台灣辦了死亡宣告手續，並由友人也是天主教徒的鍾北謙夫婦向神父說明我的情況，這一關也就通過。於是我們就在一九五五年九月二十四日在一天主教堂內結婚，由神父主持婚禮，徐恩宏兄夫婦擔任介紹人和儐相，完成了婚事，並在中國城一飯館擺了兩桌酒，宴請少數友人參加慶祝。

在結婚前一週我們租了一間祇有一個臥房的公寓房，同時買了一輛新車，於婚後到蒙特列海灣風景區去度蜜月，住在一命名爲孟娜克蝴蝶汽車旅館。這間汽車旅館有幾棵大樹，據說每年春季有一種棕色黑邊和黑條紋翅翼的大蝴蝶由中美洲飛行幾千哩到加拿大，中途在此地區停留，成千上萬，密密麻麻，住滿每棵大樹，眞是奇觀，可惜我們來時已過期，無緣看到這種奇景。

在蒙特列住了幾天回到舊金山，剛好復初接到她已通過醫師考試的通知，對她來說，算是雙喜臨門，同時她在聖魯克醫院做住院醫生的兩年合同已滿期，不再是該院的僱員，但該院仍僱用她在門診部做按時計薪的工作。我們開始計劃下一步該怎麼走，我早已想離開報館工作另謀出路，此時我正在夜校讀會計學，曾想過去開小飯館或小雜貨店，但覺得學非所用，也不值得，又想過去學腳醫，但要三四年才能畢業，未免太長。剛巧一九五六年新年過後，聖魯克醫院內科主任也是復初的上司介紹她到士德頓的州立醫院去和該院的主任醫師面談，因該院正要招聘醫生。士德頓市距舊金山約八十五英里，我們從未聽說過，又不認識道路，時值雨季，我的開車經驗還不夠，有點為難，好友吳坤淦兄知道了，主動開車帶我們去，面談後，士德頓醫院就決定僱用復初為該院醫師，這樣一來，我就得很快辭去報館工作，和復初一起搬到士德頓去住。

為了在士德頓找住處，該院介紹我們去找在該院擔任諮詢委員的房地產經紀人，這位經紀人告訴我們，在士德頓的某些地段，因為我們是華人，好住宅是不會租給我們的，這是我們親身第一次感受到排華心態的存在，結果租到了在醫院對面新建小公寓的一個單位，雖不甚滿意，但就在醫院旁邊，復初可以走路去上班，還算方便。

搬到士德頓後，我就沒有工作，怎麼辦呢？想來想去，還是繼續學會計比較好，因為會計一行，有很多層級的工作機會，不論大城市或小城市，大商業或小商業，都需要不同層級的會計人員，於是我就決定繼續讀會計學，在加州大學的函授學校和當地的商學院選修大學會計系應讀的課程。還在一九五六年的暑期，到加州大學柏克萊校區商學院攻讀三門會計課程，以求早日完成學業，找到工作。

士德頓州立醫院是屬於州政府專門治療精神病患的機構，照規定必須是公民，才能擔任政府僱員，復初早已申請入籍，獲得美國公民身份，所以無問題。

在復初和友人鼓勵下，我也去申請入籍，當時我的身份是「因戰爭而背井離鄉的人」，申請入籍並不難，因為我有政治學博士學位，沒有要我參加入籍筆試，祇要我繳交曾經住過的地方警察局出具無犯罪記錄的證明書，和三份人格良好保證信，就獲得批準，於一九五六年九月六日宣誓成爲美國公民，放棄中華民國國籍，到此我們就落葉生根，不再希望回中國去了。

第十四章　從頭做起

我們在公寓裡住了約一年，就搬進自己購買的一棟有二睡房的屋子居住，再過一年，我的所有會計課程包括參加美國統一會計師考試必考的商法，皆已讀完，於是開始找工作。我曾參加聯邦政府招考中文編譯員的考試，雖然考取，但在北加州的聯邦政府機構沒有這種職位，要到美京華盛頓或其他遠離舊金山的地區才有機會，這是我們不願去的。要做剛學成的會計工作，因爲沒有這方面的工作經驗，必須從頭做起，由初級會計員開始，於是我天天看報紙上的招聘廣告，並到職業介紹所登記，終於在一九五八年春在佛里托公司（Frito Company）北加州分公司找到一個會計員的工作，主要任務爲處理應付帳，清點原料存貨，協助資深會計員塡寫財務報表，每週工作五天，若加班還有加班費，也有免費醫藥保險，買自己公司產品和股票，也可以打折扣，比以前在金山時報工作時的待遇要好得多。

受過高等教育而年齡較大的人，尤其是來自其他國家的人，在美國找一份普通工作，比年青而剛從大學畢業的人要困難得多，第一因爲學歷太高，僱主怕你會跳槽，不安心工作，第二年紀大了怕你沒幹勁，工作效率不高，第三若公司有退休福利，對年紀大的人要多付費給退休基金，所以對這類求職的人，都以不同的眼光對待，我知道這些不利因素，所以在謀職時，沒有塡我有博士學位，祇塡是中國的大學畢業，什麼時候搬到士德頓來，以前在報館工作過，到這裡改行學會計，年齡則爲實際年齡，沒有少報，總算被接受。

佛里托公司是一個製造零食食品的大公司，後來與列伊公司（Lay Company）合併爲佛利托-列伊公司（Frito-Lay Company），最後被百事可樂公司（Pepsi Company）收購成爲百事可樂公司的兩大重要部門之一，並成爲全球性的大公司。其主要產品爲炸五香玉米片（Frito Corn Chips）和多種式樣和味道的洋芋片（Potato Chips），不要小視這些不是高科技，不耀眼的低價小食品，因爲味道好，銷路廣，在美國幾乎甚麼地方都可買到，使它們成爲美國最普遍的食品，也使出產它們的公司成爲美國超級大公司之一。

說到佛利托公司的發跡史，非常有趣，據說它的創辦人在美國南方德克薩斯州（Texas）達拉斯市（Dallas）街上，吃到一墨西哥裔婦人炸賣的五香玉米片，覺得味道很好，就和這婦人談判，把她的配方買下來，並以 Frito 的品名，向美國政府登記爲專利品，別人不能仿造。於是他就在自己住宅的汽車間內搭起爐灶製造，並自己開車到小商店推銷，生意越來越好，他就組織公司，建造廠房，擴大生產，僱用推銷員，每人開一部小貨車，在指定的區域內，向各雜貨店、酒吧等處推銷。推銷員的報酬，在訓練期滿後，就以他們推銷的數額爲依據，給予傭金，所以推銷員爲了多得傭金，非常努力，使公司的營業不斷擴大，在美國各地區成立分公司，直到後來成爲全國性的大公司，這種推銷方式仍未改變。

我工作所在地的佛利托分公司，有一專門生產各種炸洋芋片的廠房，原來是當地兩位商人共有的小公司，和佛利托公司的創始人一樣，他們兩人也是先在停車房內搭爐灶自己製造，自己開車推銷，生意不錯，於是建廠擴大生產，成爲當地有名的品牌。就在我去工作的前半年，被佛利托公司看中而加以收購，成爲佛利托公司在北加州炸洋芋片的唯一工廠，俄勒岡州、華盛頓州、內華達州都屬於這一分公司的轄區，有二十多個推銷員。

炸洋芋片的主要原料是洋芋，因是大量生產，並非任何洋芋都可以用，而且洋芋的水分要低，肉質要緊，炸起來才省時省成本，所以祇選用愛達荷品種，由合同商從愛達荷州採購運來，包裝袋和香料等也是由合同商供應，並各有專用的倉庫存放。洋芋被放進機器間洗淨，切片，再洗淨後倒入約廿英呎長六英呎寬的大油鍋內，油的溫度各部位不同，以快出鍋時的部位最高，洋芋片進入油鍋後，慢慢推進，到出鍋時，由紉帶送上濾油板，自動加鹽，然後再由紉帶送進包裝間，由機器按重量分別包裝。我們工作人員在中午休息吃午餐時，可以到油炸間拿剛出爐的脆碎洋芋片佐膳，其鮮味實在不同。

我工作後，我們有了兩份收入，經濟情況好轉，想有個孩子，以享家庭之樂，於是專程到舊金山去看友人介紹的婦科醫生，終於懷孕，於一九五九年十月十七日生了一女，這就是我們最心愛的女兒汪敏愼（英文名叫 Margaret Min-Seng Wang），當時我已是四十一歲的老爸，復初因爲是剖腹生產，產後有感染，吃了很多苦頭，也使我非常擔心，好在那時候有個不成文慣例，醫生替醫生看病不收診費，所以復初去看醫生不須付診費，給復初動手術接生的產科醫生，是她在聖魯克醫院做住院醫生時認識的，他不僅不收手術費，還把我的醫療保險公司付給他的手術費退還給復初，當然我們很感激他們的義舉，選了比較貴的中國藝術品送給他們，以表謝意。

有了嬰兒後，第一個問題是我們倆人都有工作，不能經常在家撫養，必須找看護到家中來照顧。那時我們在美國是舉目無親，沒有人可以幫忙，士德頓雖有許多華僑，但一則很少人願意做這種工作，二則這裡的華僑百分之九十九都是廣東人，言語不通，即使能找到，也無法溝通，所以祇有找其他的族裔，而且要找到可靠而無不良習慣的，以致在短短半年內，就換了兩個看護。同時我們的房子不夠寬敞，就在一個較好的區域買了一棟有三間臥房的住宅，於一九六〇年七月美國獨立紀念假期中搬到新居，在這裡一直住到現在。

就在搬家前，復初的一個女同事介紹一位曾替她做過嬰兒看護工作的意大利裔老太太給我們，非常可靠，而且照顧得不錯，我們對她也很好，不僅替她付社會安全稅，還每天下班後開車送她回家。每年我們度假時，也給她假期，照常支薪，因此她很滿意，替我們工作了三年多。因爲我們工作時至少八小時不在家，不能與幼女常相處，心裡有點遺憾，所以我們週末都自己在家照顧，有時有友人約去聚會，若小孩不在內我們就推辭不去，祇有在不得不去的場合，我們才找女學生做臨時看護，在夜間陪伴她幾個小時。

一九六一年初，佛利托公司總部突然宣佈解僱士德頓分公司的辦公室主任，從洛杉磯分公司派來一新主任，不到一個月，又解僱了有會計師資格的資深會計員，同時宣佈將把分公司總部從士德頓搬到聖荷西市去，新辦公室主任希望我也隨著搬到聖荷西去繼續工作，我和復初商議後，決定不去，在士德頓另找工作，於是在七月初分公司總部遷移時離職，一面找工作，一面準備參加秋季的全國統一會計師考試。

統一會計師考試，當時每年春秋兩季各舉辦一次，我趕上了秋季的統考，考場在舊金山，考試課題共有五項，即會計原理、審計學、商業法規、會計實務第一段、和會計實務第二段。會計實務大部份是要實際計算解答的問題，包括成本會計、政府會計、現行稅法及一般會計等。除會計實務每段考四小時外，其餘課題是考三小時，不得休息。因爲題目很多，必須在時限內做完，非常緊張。考完後，由統考機構聘請專家閱卷評分，發到各州，由州政府機關按照其所訂分數標準錄取，當時加利福尼亞州的錄取標準是七十分，必須五門都及格，才能通過，通過考試後，還要有兩年的審計實際經驗，才發給會計師證書。這次由士德頓市去參加考試的共七人，無一人通過，我祇有兩門及格，以致落第。但十年後，加州改變錄取方式，若有兩門及格，可以保留，其餘三門可以在兩年內補考，若都通過，即爲考試及格，若在兩年內五門中還有一門不及格，則必須全部重考，我有一美國同事，重考了二次都沒有通過，祇好放棄，這是後話。

我是初次嘗試這種專業考試，知道自己的弱點，祇有再加努力，尤其是在審計學和稅法方面，因此我想到一會計師事務所去找工作，以增加這方面的知識和經驗。當我去和主管會計師面談時，他說他們沒有缺額給我，但他介紹我到他們一家顧客的鋼鐵建材營造公司，做全責會計員，於是我就受僱爲克林吉鋼鐵公司（Klinger Steel Co.）的主管會計員。這是一家小公司，由兄弟兩人組成，其主要業務有三，一爲按照橋樑設計師的繪圖，將鋼骨水泥所用的鋼條切割編織成形，派鋼鐵工人運往工地裝置好，以待水泥工人灌水泥，二爲依照樓房設計師的圖樣和尺寸，將鋼樑及支架等切割鑽孔，運往工地，照設計豎立成樓房骨架，三爲依照僱客的特別需要，訂做鋼鐵設備。因此我的工作，除了一般會計外，還有成本會計，爲每一工程計算成本和帳單數額，這不僅包括勞力工資和管理費用，還要按尺寸計算各種鋼材的價格，好在鋼鐵業有一鋼材重量計算手册，做起來並不太難。

爲了準備再參加會計師考試，我除購買美國統一會計師考試委員會印行的會計師考試試題解答，加以研習外，並在一九六一年暑期的夜間去一商學院主辦的會計師考試複習班上課，吸取別人的考試經驗，於一九六一年十一月再報考，在前往報考的複習班同學中，祇有我一人五門全部合格，通過了會計師考試。下一步就是要獲得兩年的審計經驗，呈交州政府的會計師管理局，方能取得註册會計師證書。於是我就去找介紹我到克林吉鋼鐵公司工作的那位主管會計師，要求他給我一個機會，每週到他們的會計師事務所去工作一天，以獲取審計經驗，他沒有贊同，我又到其他的會計師事務所去求職，也沒有成功，但這些都是單人或少數幾個會計師合夥開的，規模很小，他們的主要業務是代僱客記帳做財務報表和處理稅務，做審計工作的成份很少，不需專做審計工作的人。

一九六三年一月初，我在本地報紙的廣告欄看到三瓦坤縣政府招考新設置的審計員，就打電話去詢問，人事局專管考試的人告訴我，今天下午就要考試，問我能夠去參加考試嗎？我說可以，於是當天下午就請假去參加考試，試題主要是政府會計和審計作業，這些我都很熟習，考試結果，我名列第一，人事局就通知我去見主計官面試，另外第二名和第三名也去面試，我終獲錄用，遂於二月初辭去克林吉公司的工作，到三瓦坤縣政府（County of Son Joaquin）的主計處擔任審計員（Accountant-Auditor）。

三瓦坤縣的人事法規規定，凡經過考試任用的新職員，都要經過六個月的試用期，認爲滿意才能獲得正式任命，成爲終身職的公務員，直到退休爲止，我在試用期的表現不錯，六個月後就獲正式任用，成爲終身職的政府公務員，換句話說，就是得到一個鐵飯碗，不必擔心失業了。

有了固定的工作和安定的生活，我就可多花時間來照顧女兒，她是獨生女，快到四歲，正是需要玩伴的時候，因爲沒有兄弟姊妹，必須找和她年齡相近的小孩一齊玩耍。當時有一由學校區主辦的兒童班，專爲進小學前的兒童而設，也是訓練家長的課程，兒童進校時，家長必須輪流去值班照顧，每週還有講述兒童發育的課程，要父母去上二小時的課，因爲我和復初都是全職工作，不可能由一個人承擔，於是我們分擔這些任務，復初抽出時間去兒童班輪流照顧，我則在夜間去上課，在課堂上除我一人是男性外，其餘青一色都是女的，最初覺得有些困窘，後來也就慢慢習慣了。

女兒進兒童班後，就有了小朋友，在她進兒童班前，每到週末或假期，我得一人帶她去兒童樂園玩耍，讓復初在家裡休息或做家務，現在有了小朋友，就可徵得其他小朋友父母的許可，帶她們和女兒一道去玩，如此一直做了幾年，這是在美國養育獨生兒女的特別情況，不是過來人是不知道的。

第十五章　在美國政府工作的體驗

談到我在美國政府工作的體驗，就得先說一說三瓦坤縣政府的組織概況。依照美國加利福尼亞州憲法的規定，縣是州的分區，其主要功能是執行州的法令，受州政府的督導，但縣也是一個法人，有自治的權力，因此依照州法律的規定，每縣都有民選的參事會（Board of Supervisors），由七個參事組成，爲縣的最高權力機關。其下有民選的警務官（Sheriff）、財稅官（Treasurer-Tax Collector）、區域檢察官（District Attorney）、書記官（County Clerk）、估價官（County Assessor）、登記官（County Recorder）、和主計官（Auditor-Controller），各掌法定的職權，並有由縣參事會聘任的各部門主管，如縣行政官（County Administrator）、公共工程局長、農業局長、社會救濟局長、人事局長、假釋人犯管理局長（Probation Officer）、縣立醫院院長、縣飛機場管理局長、縣土地利用計劃委員會委員、縣公設辯護律師、縣住宅建築檢查局長、縣公園與娛樂局長、流浪動物管制室主任等等。其中權力最大的是縣行政官（County Administrator），他是縣參事會的左右手，縣預算的主導人，和所有由縣參事會聘用的官員的上司。縣法院的法官則是由民選，出缺時先由州長任命，以後自行競選，所有民選的官員，都有一定的任期，但可以連任，直到自動退休爲止。

這裡也得提一下縣與市的區別，市是由特定城鎮的公民依照法定程序投票建立的，它的轄區在市成立後即脫離縣的管轄，實行自治，主要任務是市區內的治安、消防、街道、都市計劃、房屋建築檢查、公園、文娛、圖書館、下水道、污水處理、交通管制、營業執照等等，它的主要財源和縣一樣，是房地產稅，由縣估價官估價，縣財稅官收稅，然後分給市。市的最高權力機關是由公民投票選出的市議會。在加州有兩種市，一種是市長制，由公民選出的市長擔任行政首長，另一種是市經理制，由民選的市議會聘請一市經理（City Manager）爲行政首長。民選的市長沒有行政權力，祇主持市議會開會和對外代表市政府而已。市的權力比縣小得多，如公立醫院、監獄、社會救濟、公共衛生與法院等，都屬於縣管，所以縣政府的組織部門也比市多得多。

我在縣政府的工作單位是主計官室，我的職位是剛增設的，以前主計官室的主要任務是執行縣預算必需的會計工作、稅收的核算與分配、控制各學校區，市外消防區、墾殖區（Reclamation Districts）的經費，和查核縣財稅官的庫存與銀行存款等，眞正的審計工作很少，祇有每年一次依照州法律規定和州主計官的要求到縣屬各法院審核交通違規罰款、刑事犯罪罰金和民事訴訟收費的記錄和分配，用書面將審查結果向州主計處呈報而已。因此我的新任務就是要擴大審計範圍，依照審計學的原則和美國註册會計師協會（American Institute of Cortified Public Accountant）公布的規則，來進行審計工作。依照審計學的原則，當會計事務所受聘審核僱客公司的財務報告時，第一步就是要測驗該公司內部的財務控管程序，以決定查核時應做的工作，俾能得出正確可靠的結論，以作審計報告的根據。三瓦坤縣當時尚無嚴密的財務控管程序，所以我一開始就到收服務費和處理信託帳戶的各機關研究現有情況，分別建立新的控管程序，以防作弊，並簡化與系統化財務處理程序。在這方面，我以前攻讀公共行政學會計學和審計學所得的知識，都派上了用場。在這段期間，常遇到阻力，尤其是那些在縣政府工作多年的人，認爲我是中國人，講英語沒有他們流利，初時有些不合作，但他們知道我有博士學位和會計師考試及格的資歷後，就慢慢尊重我的意見，完成了這份革新的工作。

在審計方面，除了加強稽核法院罰金，交通犯規罰款，民事案件收費與這些收入應繳交州、縣與市的分配數額外，並協助各法院改進檔案處理，簡化工作與提高效率。以交通犯規的案件爲例，這是數量最大，罰款最多和罰款分配較複雜的項目，按照當時的州法律規定，除由法官會議決定各種犯規條款應罰的數額外，還要另加百分之幾的附加罰款，繳交州政府作訓練警員之用，因此法院收款人必須計算應加收數額。爲了協助法院提高效率，我特別給他們設計了一份對照表，收款人祇要一看表，就知道應收多少附加罰款，不必再逐一計算，給他們省了很多時間，爲此各法院一有財務問題，就打電話找我去協助解決。

有一次我用個案抽查法，等於是在草堆中找針一樣，查出了市警察局的一個警員和法院負責處理交通違規案件的職員串通作弊，把他們友人交通犯規的三聯傳單（一張寄給犯規人，一張寄給法院，一張留在警察局作存根）銷毀。被我查出後，交由法院書記官繼續追究，結果把他的作弊下屬開除，警察局也給那作弊警員記大過停職一星期，當地報紙曾刊登了這則新聞。

除法院和退休基金外，我開始對收服務費及代第三者處理信託帳戶的各部門，和監獄與公園附設的商店等進行審計，每完成一項審計，即將結果寫成報告，呈交縣參事會，在這些審計報告中，當然免不了有批評缺點和建議改進的詞句，雖然在我寫報告前，已和被核查單位首長討論過，但當他們看到報告後，總有些不愉快，有少數甚至向縣行政官抱怨我的批評。爲了自己站得住腳，不致失去審計效果，我寫報告時特別細心，斟酌每一用字，並在完成初稿後，不立即交打字員打字，隔一夜再修改，才交給打字員打字，自己校對後，由主計官核閱簽名發出，因爲我寫的報告非常謹慎，主計官從未修改一字，即行簽字，送交縣參事會，對我來說，是一個很大的鼓舞。

工作三年後，我通過升級考試（面試），晉陞爲資深審計員，到一九六八年，我認爲我的審計經驗，應已達到州會計師管理局的標準，於是把我五年多來的審計報告複印本和每次審計的工作紀實送交會計師管理局審核，要求發給註册會計師證書。一般來說，若是在會計師事務所服務，在執業會計師監督和指導下做審計工作兩年，由主管會計師出具證明，即可獲得註册會計師證書，但我在縣主計官室工作，主計官不是註册會計師，不能出具證明，必須由我自己呈交審計工作文件，並由州會計師管理局指派數名會計師組成審查小組審核，經面試通過，才發給證書，所以直等到一九六九年我才得到註册會計師證書。

一九七〇年代初，聯邦政府的管理與預算局（Bureau of Management and Budget）發佈第八十七號通告（Circular No. A-87），凡執行聯邦政府業務的州和縣政府，可依照該通告的規定申請補償爲執行這些業務的間接成本（Indirect cost），換言之，即除直接處理這些業務所需的工作人員薪資福利與器材用品等直接支出外，其他有關的行政管理費用，如能按照該通告的計算方式算出來，經審核認可，即可得到聯邦政府的補償。當時州與縣執行聯邦業務最大的項目是社會救濟與保健，主要負責機構是縣救濟局和縣立醫院，也是縣政府的最大部門，佔縣預算總額三分之二以上，支持和輔助它們的部門有人事局、採購處、主計官室、辦公廳樓房管理局等，都可得到補償。

我看到這份通告後，即主動搜集資料，依照通告的計算方式，編列間接成本分配表（Indirect cost Distribution）寄交聯邦管理與預算局，過了約二個月，居然獲得認可，三瓦坤縣得到了二十多萬元的補償，皆大歡喜。在加州五十八個縣中，三瓦坤縣是第一個得到聯邦政府補償的縣，爲此縣政府的新聞主任兼發言人特別在本地報紙士德頓紀事報（Stockton Record）發佈新聞，並說我的資歷是從中國到士德頓，從洋芋片到聯邦的錢（..a career ranged from China to ton Stock and from potato chips to Federal dollars）。所謂洋芋片是指我在製造洋芋片的佛利托公司（Frito Co.）工作過，聯邦的錢就是指我替三瓦坤縣要到了聯邦政府補償，從此以後，每年都照樣向聯邦政府請求補償，使其成爲縣預算的經常收入之一。

爲了每年都要編製間接成本分配表，和協助其他部門計算收費標準，在我的單位增設了一名會計審計員，我初來時，我的單位祇有我一人，不久加了一個助理審計員，其後又加了兩個審計員，其中一個是剛大學畢業，由聯邦政府補助送來接受訓練的。到這時，我的單位已經有五人，擴大了許多，於是改爲審計科，我陞爲科長，不祇負責審計和間接成本分析，還要設計不同機構需要的會計程式，和協助解決各部門發生的財務問題。有一次縣監獄發生了替犯人收管的現金三千元不翼而飛，就是因輪值班長未遵守我設計的現金交接程序而發生。另一次重大事件，是發生在縣監獄的輕犯管制部榮譽農場（Honor Farm），犯人大多數是比較嚴重的交通犯和其他未涉及暴力的犯人，他們白天可以回到原工作地點工作，夜間回到監房（大統艙）過夜，所得工資，由僱主寄交榮譽農場，用以繳法院罰金，付監獄膳宿費，寄給家人生活費和在農場附設的商店購買零用品，由一會計員依照我設計的會計程序處理帳務，不知何故，帳册現金數額與銀行存款不符，請我去查，因爲牽涉的帳目太多，不是在短期內可以查完，我就如實在書面上說明，同時有人懷疑會計員可能作弊，這位會計員在心理上承受不了這種壓力，就自殺了，使我覺得非常難過，這兩件事都見諸報端。

我陞任審計科長後，恰巧加州縣審計主任協會成立，我是當然會員，我們每三個月在輪流選定的地點集會一次，交換經驗，並討論共同面臨的問題，由加州五十八縣民選主計官組成的縣主計官協會，每年在不同地點舉行三天年會，我也常被派爲代表去參加，這些年會雖然會期是三天，實際上開會的時間祇有一天多，泰半討論州議會新通過法律對各縣主計官室的影響和其他與主計官有關的問題，其餘時間是參觀當地主要景點和打高爾夫球，夜間則有宴會和娛興節目。這些集會和本縣的審計工作，增加了我的人際關係，和對縣政府整體業務的了解。

我的工作範圍實際上不止查核各縣機構的財務，設計會計程序，和間接成本分析，與縣政府訂有合同的垃圾處理公司和社會服務單位的財務報表，也不時派我去查核。有一次，垃圾處理公司的主人和他僱請的註册會計師到縣參事會小組委員會討論我的審計報告，因為縣政府付給垃圾公司的費率是以該公司總投資來決定，我在報告中批評該公司的總投資數額灌水，財務報告形同裝點門面，那位會計師大為生氣，當場說我的觀點是學生之見，我也不甘示弱予以反駁，事後他向副主計官詆毀我的見解，我回應說他認為他了不起，我自信我的學識比他好得多。

在主計官室的三十多人中，以我的學歷為最高，也是當時縣政府中唯一的註册會計師，我的見解，比較得到重視，因此縣行政官邀主計官去商討問題時，主計官常要我陪他去，有一次談到與聯邦政府接洽的事，我說我已接洽過，那邊的人是一個華裔，行政官開玩笑說，現在是華人的天下。

因為我有高學歷，又先得到審計科長的職位，就引起了一位白人同事的忌妒，原主計官退休後，縣參事會任命原副主計官塡補選舉前的遺缺，要招考新的副主計官。考試結果，祇有我和另一來自他縣，也曾在主計官室擔任過科長的倆人通過，由縣參事會從中選任一人。但一位日裔縣參事極力挺我，說我替三瓦坤縣做了許多事，非常努力，應該提陞以資鼓勵。但新主計官別有用心，主張僱用外來的那一位，因此我沒有得到升級，很多人都爲我抱不平，甚至有人建議我辭職以示抗議，可是我當時已六十一歲，距退休年齡祇有四年，經多方考慮，祇有隱忍，繼續工作，直到退休爲止。

一九八三年十二月，我年滿六十五歲，於是辦理退休手續，於一九八四年二月正式退休。主計官先在辦公室舉行茶會，讓縣政府內與我認識的人來向我道賀與告別，嗣又在一大中餐館舉辦告別宴會，參加的人很多，縣參事會給我頒發獎牌，讚揚我對縣政府的貢獻，在美國的退休宴會上，都要講一些有關退休者的趣事，幾個法院的書記官聯合起來，把一幅象徵我審核法院的趣事掛起來，引起哄堂大笑。輪到我致詞時，我也自嘲做審計工作常引起反感的經驗，並講了一個實例，有一次我們審核某一法院的帳冊，發現了一些錯誤，於是叫負責的職員來看錯在那裡，她走到我面前，跪在地上，一面看一面說「挑剔，挑剔，挑剔」（picky, picky, picky），使我覺得難爲情，這就是做審計工作不易的最好寫照。

第十六章 忙碌的生活

從一九六三年到一九八四年，我在三瓦坤縣政府工作期間，因爲復初也在公立醫院工作，是我們最忙碌的時候，除公務外，我們的家庭生活和社會生活都很豐富，但也相當辛苦。先從家庭說起，這是我們女兒最主要的成長階段，從她進幼稚園開始，到小學畢業，她每天放學後都得到托兒所或看護家，等待我們下班後去接她回家，週末要送她去學鋼琴和兒童舞蹈，帶她和小朋友去兒童樂園或公園遊玩，這些大多數時間是由我負責。因爲我們沒有傭人，家中的家務事也得我們自理，所以那段期間，我們休假時，才能全家到風景區去度假，舒解壓力。她進中學後，滿了十三歲，照美國法律規定，已不需人看護，可以獨自在家做功課，這時我們衹是開車送她到學校和放學時接她回家，減少了要找托兒所和看護的頭疼事情，一九七七年她高中畢業，獲得史丹福大學的入學許可，到帕羅阿托去讀大學，從此她就很少回家，祇剩我們倆人經常在家生活了。

我們倆人都工作，有了兩份收入，而在生活上一切從儉，逐漸有了積蓄，除供給女兒上大學和醫學院外，還有節餘可以投資。事實上，在我們結婚前，倆人已各自開始學買股票，現在則逐漸增加，爲了分散投資風險，除股票外，也開始在房地產方面投資。一九六八年夏，我們去蒙特勒度假回來，經過艾勃托（Aptos）時，去加油站加油，剛巧在加油站旁有一間房地產經紀商，我們進去問他們有沒有地產出賣，一位女經紀人馬上帶我們去看了幾個地方。其中一塊十七英畝的地，上面有兩間舊房子和一間很大的破舊養雞廠，我們覺得還可以，遂還了價，比要價低百分之十五，心想不會成交。不料回到家時，已經天黑，突然接到該女經紀人打電話說，房產主人已同意賣給我們，她將在當晚帶買賣合同到我家來要我們簽字，使我大吃一驚。由艾勃托到士德頓約一百二十英里，要二小時車程，約夜間十一時，她和一同伴才抵達我家，我們簽好字，等她們離開時，已是午夜，她們這種爲賺經紀費而不辭辛苦的精神，實在值得敬佩。

簽訂購買合同後，我才去仔細看這塊山坡地和附近的環境，艾勃托是距蒙特勒海灣（Montary Bay）很近的一個小鎮，距度假勝地聖他克魯茲（Santa Cruz）約十英里。我們買的這塊地距海邊沙灘祇有一英里半，附近都是小山坵，海岸邊和山坵上有很多別墅，我們買的這塊地從小河邊的公路直到小山頂，在上半部都可以看見海，風景不錯。但以前的主人把靠近公路的一部份賣給別人，蓋了一間別墅，並把另一部份的過路權（right of way）賣給了左右兩家鄰居，因此有時候會發生糾紛。那間別墅後來被轉賣給舊金山的倆個男同志，一個是外科醫生，一個是保險公司高級職員，他們每個週末都去那裡住。一九七〇年三月，北加州大雨，很多地方有水災，我們山坡地上的水向山下奔流，沖過那別墅後面的保護堤，直達他們的後門，他們認爲我們對此有責任，打電話要我馬上去看，我冒雨開車去看，祇見由公路邊到這間別墅和我們兩間舊房的泥石車道，被水沖得七凸八凹，他們別墅後面也有積水。但我對他們說，這是天災，不是我們的責任，他們說要去找律師，我也經人介紹在聖他克魯茲找了一位律師，準備和他們打官司，可是後來沒有下文。從此以後，我們和這兩位男同志之間的關係就不好，過了兩年，他們就把那棟別墅賣了，有一天我去看房客，碰見他們在準備搬家，我問他們，他們回答說，因爲不想再和我起糾紛，所以不在這裡住了。

有了這塊地，就多了一件事，上面的兩所舊住宅都出租給房客，車道被洪水破壞後，我們和左右兩鄰居共同出資修建了柏油路，在鄉間沒有自來水和污水下水道，要自己有水井和化糞池，這些都得注意維修，所以我每個月至少都要開車去一次察看，來回約二百五十里，要花整天時間，多半是我一個人去。一九七九年初，有兩層樓的那棟舊住宅因房客失火被燒毀，我們把保險公司賠償再加一些資金，在舊金山南的帝利市（Daly City）買了一棟住宅出租，交由一房地產經紀人代管，這兩份房地產，後來都捐給三所大學作爲獎學金基金，這是後話。

我們投資那塊山坡地，原來是想在退休後搬到艾勃托去住，所以當我們的鄰居把他們的三十英畝地開發爲一社區，分割爲五十二棟住房用地後，我們也想把我們的十七英畝地分割成若干棟住房用地，自己留風景最好的一塊建造住宅。於是僱請一土地利用策劃師計劃分割事宜，依照加州土地利用法規定，凡想分割成五塊以上的，必須有足夠的自來水供應和與城市下水道連接的下水道。自來水供應問題，把我們已有的水井和附近自來水公司的水加起來就可以解決，但城市的下水道系統，祇延伸到我們鄰居的地段爲止，我們無法接上，因此，照法律規定祇能做小型分割（Minor Subdivision），最多祇能分割成四塊，還要得到縣土地利用計劃委員會（County Planning Committee）的批准，要做也不容易，第一要經地質測驗和環境評估，第二要有測量地圖，確定建住宅地址及道路路線，第三要有自來水公司承諾，第四要有每間住宅的化糞池設計圖，第五要有防洪水的積水池，這樣多的要求，經過很長的時間才準備妥當，然後是計劃委員會的聽證會，時值聖他克魯茲縣通過反成長法（anti-growth Ordinance），限制人口成長。縣計劃委員會對土地分割更加嚴格，我去聖他克魯茲市跑了好多次，花了不少費用，最後獲得批准，准許我們把這塊地分割爲四塊，還規定要在三年內完成。此時已是一九九三年，復初已中風不省人事五年之久，我一人已疲於奔命，於是在一九九四年將這塊價值八十萬元的土地分捐給西方醫科大學（Western University of Health Sciences）、史丹福大學（Stanford University）和科羅拉多大學（University of Colorado），設立獎學基金，將來發給清寒優秀的大學生，協助他們完成學業。

我決定將這塊房地產和帝利市的房產先後捐給三所大學，可以說是入境隨俗的做法。美國社會的最大優點是慷慨捐款，支持各種慈善文化教育教會及公益團體，大富豪多數設立自己的基金（Foundation）資助他們心愛的項目，中富和小富多半捐給學校教會和醫院等等，一般家庭則捐給紅十字會、教堂，救世軍（Salvation Army）和名目繁多的公益團體。一般來說，美國人不重視把財產留給後代，而熱心公益，所以有些五花八門的組織，掛羊頭而賣狗肉，就利用這種機會斂財。美國的稅法特別優待捐款人，祇要是捐給經內稅局（Internal Revenue Service）核准成立的非營利組織（Non-profit Organization），學校和教會都可以減免所得稅和遺產稅，等於是鼓勵捐款，美國形形色色社會團體之多，與此不無關係。

我們初到士德頓市時，人地生疏，沒有社交活動，當時市內有一華僑社區，幾全是廣東人，有多個堂會和宗親會組織，並有一個統領各社團的中華會館，我們不是廣東人，不會說廣東話，除到該區購買中國食品和吃中國餐外，和他們別無往來。後經友人介紹認識了兩家會說國語的朋友，又經他們介紹認識了在太平洋大學（University of Pacific）任教的陳興樂博士夫婦，他們是福建人，能說國語，那時士德頓市約有華僑四千人，就祇有我們四家會講國語。

何以那時華僑都集中住在一個社區，自成一個小世界呢？這和美國以前排華和歧視少數民族有關。一八五〇年以後的三十年間，大批華工受僱到美國修鐵路和開採金礦，因工資不高，又能吃苦耐勞，已引起白人的嫉妒，後因經濟不景氣，白人失業人數增加，認爲是低廉中國工人搶了他們的飯碗，在有心政客的唆使下，掀起殘殺華人和燒毀華人商店與住宅的暴行，並於一八八二年通過排華法案（China Exclusion Act）限制中國移民，禁止華僑在華人社區以外置產，迫使華僑集中住在一小區域內，即一般所稱的唐人街（Chinatown）或華埠，自成與白人社區分離的群體。直到一九四四年，因中國與美國共同對日作戰有功，廢除排華法案，華僑的處境才逐漸改善。這以前，華僑與黑人是最受白人歧視的兩個少數民族，華僑因爲人數少，無力反抗，而黑人人數卻佔美國人口約十分之一，在南部的密西西比和亞爾巴馬兩州，尤其是密西西比州則黑人幾佔一半，有力量可以抗爭，所以從一九五〇年中開始即發起民權運動，在牧師馬丁路德金恩博士（Dr. Martin Luther King）夫婦領導下，以蘿莎帕克斯（Rosa Parks）女士因拒絕在公車上讓位給白人而被捕事件爲導火線，組織大隊人馬，步行到美京抗議，迫使美國政府設立民權委員會（Civil rights Commission）和通過民權法案（Civil Rights Act），以遏止白人歧視少數民族的行爲，華僑因此也沾了光，得到民權保障，不必再囿居於唐人街，而四出向外發展。

第二次世界大戰，不僅使排華法案得到廢除，凡被徵調入伍的華僑青年，在退役後祇要有志升學，都可領取公費進大學攻讀，他們學有專長，畢業後在各行業工作，與白人和其他族裔經常交往，在美國社會漸露頭角，參加白人社團如美生會、扶輪社、和其他職業團體。士德頓的華裔青年也於一九五〇年初組織一個社團名叫華群社（Stockton Cathay Club），舉辦各種社交與逸樂活動，聯絡感情，我經人介紹認識了幾位會員，於一九六〇年代加入該社，並於一九七九年當選爲該社主席。在此之前，華群社祇收男性會員，我當選後，即提議修改會章，不分男女，都可申請加入爲會員，並選出第一位女性英文書記，這是所有華人社團中的創舉，打破了近百年來男子獨霸所有社團組織的慣例。

一九五〇年代以前，華人要想參加美國較有聲望的社團如美生會（Masonic Lodge）、扶輪社（International Rotary Club）等很不容易，直到戰後華裔專業人士打入美國社會，始被這些社團接納，並有少數成爲活躍分子，擔任領導角色。我經友人介紹，於一九七五年秋加入美生會，該會規矩很多，申請人要經會員投球通過，無任何人反對，才能獲准，投球時每個會員可投一球，分爲黑白兩種，投白球是贊成，投黑球是反對，祇要有一人投黑球，就被否決，所以美國有句成語叫做 black balled，就是說被拒絕參加的意思。申請人獲准參加後，要接受幾個月的訓練，默記許多暗語，學習許多手勢，經過考試逐級上升，到了第三級，才成爲永久性的正式會員，所以我到一九七六年三月才成爲美生會永久會員。隨後又申請加入美生會的高階組織蘇格蘭禮儀團（Stockton Scottish Rite Bodies），經過一星期的集體學習，由第四級開始，到三十二級爲止，所以我也於一九七七年成爲第三十二級的美生會會員，加入後頭幾年，我常去參加集會，後來因工作太忙，就少去參加，祇照規定每年繳會費而已。

上面提到士德頓市的中華會館，英文名稱是 Chinese Benevolent Association of Stockton，當地華僑用廣東四邑口音叫 Stockton 爲市作頓，所以正式名稱是「市作頓埠中華會館」，其主要成員早前祇有三個堂會、九個宗親會、僑聯會和寧陽會館，後來又加入華群社和中華文化協會。我初到士德頓市時，和當地的僑團沒有接觸，參加華群社後，逐漸認識了一些僑領，於是被選爲二十五名評議員之一，並於一九七七年被指派爲新設立的文娛部主任，因此我得去參加中華會館每月舉行的月會，在會上講的是四邑方言，我聽不懂，得用英文問鄰座的人，究竟是講什麼。會館內部有派系之分，在會上常有爭論，我也半懂不懂，我擔任節目部主任之後，邀約一批年青和對社會服務有興趣的知識分子，籌辦了在一九七八年三月舉行的第一個農曆新年慶會，會址就在中華會館的大禮堂內，因爲地方不大，來觀賞的人太多，擠得水洩不通，義賣的小吃都是我們自己做的，紀念品也是我們用低價買來的，所以扣除各項費用和償還中華會館墊借的籌備費外，還賺了一千多元。我們想留作下年度舉辦慶會的經費，但有人要我們馬上交給中華會館，我們認爲太不信任我們，深感不滿，因此開會商討與中華會館的關係，一致決定退出中華會館，並把賺來的一千多元全數交給中華會館作爲獎學金。

我們退出中華會館後，即積極進行籌備成立另一組織，定名爲市作頓中華文化協會（Chinese Cultural Society of Stockton），通過組織章程（Constitution）和辦事細則（By Low），召開會員大會，選舉職員，我當選爲首任主席。並決定租用市政府所屬的民衆大會堂（Civic Auditorium），籌辦大規模的農曆新年慶會。當時需要的籌辦費，由我和其他三位同人先墊借，在衆多義工協助下，於一九七九年三月第一個星期日舉行慶祝會，由自己組織的舞獅團舞獅開幕，隨著有由舊金山請來的歌舞團，文化協會所屬的舞蹈團表演，並有中國歷代服裝表演和中國功夫表演，以享大衆。在會場中央則設有若干義賣攤位，廂房則有文化協會自己主辦的餐廳，入場劵成人每人衹收一元，小孩十二歲以下免費，並印有包括收費廣告在內的節目小册子送給觀衆，因此前來觀賞者估計在四千人以上，會後結算，除各項開支外，尚餘兩仟多元，不衹償還了我們四人墊借的籌備費，還爲中華文化協會奠立了經濟基礎。

從一九七九年開始，以後每年皆在同一週末和同一地點舉辦慶會，直到現在還繼續舉辦，是每年士德頓市華人的最主要活動，使其他族裔有機會欣賞中國文化，與華人同樂。

中華文化協會的宗旨是：第一，在華人社會中保存和提倡值得我們引以為榮的中國文化傳統和習俗，第二，促進本地社會人士對中國文化的認知與鑑賞，第三增進本地社會的文化生活，和主辦各種教育與社會團體的中國文化活動節目。因此不分中西男女，祇要贊同上述宗旨者，皆可以參加，交會費成為會員，是華人社會中與其他族裔接觸最多和影響最大的組織，也為對社會服務和中國文化有興趣的下一代土生華裔青年提供一個運作的平台，為使這個組織得到政府的認可和免稅。由我負責向美國聯邦政府內稅局（Internal Revenue Service）和加州稅務局（Franchise Tax Board）申請立案為免稅的非營利組織（A Nonprofit Organization described in Internal Revenue Code Section 501 (c) (3).），不祇文化協會自己的收入不必上稅，捐款人捐給文化協會的錢也可以從應交稅的收入中扣除，於一九七九年一月獲得批准，這是士德頓市所有華人社團中得到這種法定地位的第一個。

中華文化協會的活動，最主要的是每年舉辦的農曆新年慶會，此外還有多種其他活動，如舉辦有關中國文化的專題演講、書畫展覽和示範、邀請台灣及大陸的歌舞團到士德頓演出、舉辦龍舟競賽、組團參觀以前華僑集居地的遺蹟等等，並設立多個獎學金，獎勵及資助華裔優秀高中畢業生進大學攻讀，其中有兩名獎金是我為紀念復初而設的，其他華僑社團也有設立獎學金的，但名額與獎金數額則不及中華文化協會。

中華文化協會的職員全是無給職，不僅無薪水和車馬費，還要自付電話交通等費用，以前任期是一年，後改為二年，不連選連任，我擔任第一任主席期滿後，仍繼續協助會務，並擔任中文書記多年，因爲會員絕大多數是土生或幼年來美接受教育的，懂中文的不多，所以開會時講的全是英文，月報和文件也是英文，祇有在中文報登載新聞及與當地中華會館和其他華人社團通報時用中文，中文書記的工作並不多。

我是經過考試及格的註册會計師，除會計師證書外，還要有執業執照，才能做會計審計與稅務工作，執照的有效期祇有兩年，兩年期滿申請新執照時，必須繳交總共八十小時的繼續研習（Continuing education）證明，才發給新執照，因此我必須去會計師協會舉辦的研習會或大學主辦的會計工作研討會上課或聽講，不祇要交昂貴的註册費，還要遠道開車去參加，這也使我更加忙碌。總而言之，在這二十多年期間，我的工作和社會活動佔去了很多時間，但也使我獲益不淺，很值得留念。

第十七章　找到了大陸親人

一九四九年十月一日中華人民共和國在北京建立後，即在所謂新解放區開始土改，雲南省是在原省主席盧漢投降後，才成立人民政府，因此土改也遲到一九五一年才開始，在土改開始前，我和家人經常通訊，當時實行減租退押，地主要把近百分之九十的田租作爲糧稅繳交政府，我家當年是全靠祖父母遺產的田租過活，失去了大部份的田租，生活就已困難；而被攤派的田糧，比收到的田租還要多。欠下的必須繼續補繳，因此我和在昆明工作的璞弟，都得匯錢到華寧家中維持生活和補交糧稅。初時我還可以直接寄錢給母親和柏齡，但後來社會動盪不安，不要說她們收不到，信也遺失，我衹好匯給我在昆明的兩個弟弟，由他們按情況需要處理和轉寄信件。據說當時家中，已開始自己種田，生活清苦自不待言。一九五一年開始土改，情況大爲惡化，不僅我不能和母親與柏齡取得聯繫，我的弟妹們也不敢把眞實情況告訴我，我把課外做雜工得來的微薄收入不斷匯回去接濟，但從我弟妹們由昆明來信的字裡行間可以看出，對母親柏齡和幼兒的處境並無多少補益，反而使她們不斷受到勒索。三十年後我第一次回大陸探親時，才從親人口中得到一點暗示，在土改中，母親、柏齡和彥良兒，在家鄉曾有過悲慘的遭遇，因爲被抄家，清算鬥爭，饑寒交迫，成人已受不了，何況剛過四歲的彥良兒。一九五一年十一月三日璞弟來信說彥良因傷風三日而死，使我非常悲痛，這顯然是生活無著，病了無醫藥所致。從那時開始就再也沒有得到國內親人的音訊，因土改過後，就連續不斷的有各種運動，我的兩個弟弟都要參加勞動思想改造，自身難保，再加上在各種清算鬥爭中要查三代和查海外關係，像我這種住在「美帝」的人，不僅給親人罪加一等，連過去的好友也被扣上裡通外國的罪名。在這種險惡的環境裡，大陸上的親友那敢給我寫信，我當然也不能寄信給他們，而使他們更加受罪。所以從一九五一年底開始，直到四人幫被打倒，鄧小平與胡耀邦上台的二十五年間，我和大陸上的親人就失去了聯絡，他們是死是活，活在那裡，無法得知，多方託人從香港打聽，也祇能得到一點小道消息。

一九七二年尼克遜總統訪問北京後，中美關係解凍，開始有人回大陸探親，一九七六年四人幫被打倒，文化大革命結束，鄧小平復出，由總書記胡耀邦主導平反在文革期間和以前的錯冤假案，摘去過去加在被迫害人民頭上的各種帽子，國內外可以通訊，回國探親的人更多，以前失去聯絡的親人，開始互相尋找問訊。一九七九年復初一人先回到她的故鄉江蘇省啓東縣去看望她的親人，並以海外華人專家回國交流的有利關係，要求摘去她叔父的地主帽子，使他不再受歧視，同時我和大陸上的親人也開始從不同的方向尋找對方的下落。

一九八〇年春，當時在士德頓居住的雲南同鄉好友楊子餘兄回雲南探親，他的弟弟楊子裕君時在雲南工學院工作，我就託他們打聽以前曾在雲南大學農學院森林系任教的三弟汪璞的下落。幾乎在同一時期，雲南的親人也在設法尋找我和原來在台灣海軍任職但已移民來美國的五弟汪瑋的下落。我從楊子餘兄處獲得璞弟的地址，是雲南省農科所，但事實上是雲南省林科所，因此我和瑋弟於八月中寄去農科所的信在那裡的收發室存放了約兩個月，才被璞弟的老同事看見，拿去交給璞弟。當時的璞弟已患帕金森病，手抖頭搖，不能覆信，直到在林科所旁一間醫院擔任護士的侄女汪彥麗去看望他時，看見了瑋弟和楊子餘君寫給璞弟的信，才回信給瑋弟，使音信斷絕已近三十年，歷經滄桑的親人得以恢復聯繫，實為不幸中之萬幸。

從一九八〇年十一月開始，我們住在美國的和住在昆明華寧縣的親人，及在成都求學的侄子汪彥樞之間，就不斷有書信往來。在他們來信中，告訴了各家的現況和以前的一些不幸遭遇，但多語焉不詳，尤其是我母親和柏齡在家鄉所受的苦難，更隻字不提。從他們的來信中得知，在過去三十年間，曾出生了衆多侄子姪女和侄孫與侄孫女，除少數幾人仍在校求學外，其餘都在工作，三弟汪璠被打成反動右派，下放到一煤礦當礦工，在礦坑內被沼氣毒死。母親被清算鬥爭後，於一九五三年離開家鄉，到昆明與璠弟家同住，在大躍進期間感染肺結核病，於一九六一年五月十一日病故。至於柏齡，祇有汪彥恆在信中說了一句她已改嫁，使我非常失望，但他們都衆口同聲說國內形勢大好，促我和瑋弟儘快回國與親人見面，我當然也想回去看看，乃於一九八一年夏開始辦理回大陸探親入境簽證手續，於九月底乘飛機到香港，十月一日即中華人民共和國國慶日進入大陸，作為期兩週的探親旅遊。

在入境之前，我去找中國旅行社香港分社，安排交通與住宿等事宜，但他們祇能代買由香港到廣州的火車票和代訂廣州的旅館，和通知廣州的中國旅行社派人協助，至於由廣州去其他地方的機票和旅館，則須由廣州分社辦理。因此我到了廣州後的次晨，就去找中國旅行社，要求代訂由廣州到昆明的機票，但被告知，由廣州到昆明的班機一票難求，要等多少天才能買到，他們也不知道。我問他們去上海的機票如何，他們說當日即可買到，但旅館則訂不到。旅行社的導遊對我說，你是美國來的華僑，你到上海去找中國旅行社，他們必然要給你安排旅館，你可以放心去，至於我要帶到昆明去的大包裹，他可以負責代運。我知道當時大陸的紀律很嚴格，服務人員必須盡職，且不許收小費，所以我就接受了他的建議，把包裹交給他，於當日午後乘飛機到了上海，立即攜帶行李去中國旅行社請求安排旅館。當時中國大陸祇有兩家公營的旅行社，即中國旅行社和國際旅行社，它們各有專屬的旅館。高檔的旅館屬於國際旅行社的範圍，中國旅行社祇能訂較差的旅店，上海的國際飯店和華僑飯店，是中國旅行社能夠代訂的最好旅館，當天都已客滿，等了好久他們才告訴我，可以到申江飯店去試試看，我沒有辦法，祇好到申江飯店去碰運氣。

上海申江飯店是一個三流或四流的小旅店，座落在一條小街上，我到那裡等了許久，才有人來打招呼，我問有沒有房間，他說沒有，我說眞的一個空房間也沒有嗎，他說祇有套房，若我一人住要付兩人的套房費，我問多少一天，他說了一個數字，我計算一下，約四十美元，我說無問題，於是就住下來。此時已經天黑，樓下有個小飯廳，我到那裡去用膳，祇見兩個侍者在聊天，看見我若無其事，等他們聊完了，其中一個走過來問我，你想吃什麼，態度很不客氣，飯後到房裡休息，的確房間不小，還有一個小會客室，和當時難有的一個小電視機，但節目不精彩，我閒著無事，看見桌上有一本旅客評語簿，翻開一看，有一名住過的日本旅客在上面寫道，他在該旅館和其他商店遇見的服務人員很不禮貌，服務太差，「使我日本人非常惡心」。我雖然衹到了大陸幾天，也深有同感。

我對中國旅行社的服務很不滿意，於是去找設在上海外灘和平飯店內的國際旅行社，請他們代訂由上海到無錫和南京的火車票與旅館，以及安排當地的導遊，付了電話費和手續費後，即順利完成，乃去拜訪復初的好友郭毓環醫生和她的家人，當時郭醫生已去加拿大探親，由她的丈夫張希江兄陪同去豫園參觀，但抵豫園時已經關門，想在城皇廟街吃飯，也因人群擁擠和飯館不清潔而作罷，衹好回到旅館用膳聊天。次日由上海乘火車到無錫，坐的是軟席，當時客車分兩級，即軟席與硬席，凡是由外國來的旅客，都必須買軟席，而且票價比當地人貴，但服務很好。到無錫車站後，由國際旅行社派來的導遊接車，送我到太湖邊的太湖飯店下榻，同時約定次日由他陪我去遊太湖及其他名勝。

當年的太湖飯店，是由一所中學校舍改造而成，坐落在風景優美的太湖邊，距無錫城約十華里，比較陳舊，但服務不錯。我一人去飯廳吃飯時，兩個年輕的侍應生知道我是從美國來的，他們想學英文，很客氣的來招待我，聊天時我提到在上海申江飯店的經驗，他們說他們是剛從一旅遊學校畢業到這裡來實習的，必須遵守公約，不可對旅客失敬，服務要週到，才算合格，這顯然是當局已經察覺問題的嚴重性，而開始加以改善。

無錫的太湖沿岸有幾個名勝，導遊帶我一人去參觀過的有黿頭渚，梅園蠡園和大運河，並在湖的一角乘船觀賞湖上風光。我提到在飯廳裡吃過的銀魚，就產在這湖裡，水手立即用小網從湖裡撈起幾條小銀魚，祇有兩吋多長，全身幾乎透明。這次出遊全程約四小時，導遊收費每小時二元外匯券，折合美金不到二元，這是當時規定的收費標準，全國一致，導遊不許接受小費。但當時大陸人喜好香煙，尤其是英國或美國製造的香煙更為名貴，我把從香港買的英國香煙送了一包給他，他非常高興，說是要和他的同事分享。

當天傍晚，導遊送我到無錫火車站，把我一人安置在貴賓候車室，並替我買了到南京的軟臥車票。當時臥車也分軟臥與硬臥兩種，外國旅客的票價要比中國旅客貴，導遊替我買票時，是照國民的票價付費，在將上車時，驗票員責問導遊為何給我買國內人的票，導遊說他是照售票員說的價格付錢，錯不在他，因為已到上車時間，來不及換票，也就算了。

由無錫到南京的車程約兩小時，根本不需要臥車，也許是買不到軟席而不得不如此，軟臥房間裡有兩張上下床的架子床，可臥四人，我的臥車房連我祇有三人，其他兩人一男一女，大概是高級幹部，由上海去北京的旅客，風度不錯，和我聊天，直到我在南京下車時為止，由國際旅行社派來的人已在車站等我，把我送到城內金山上的金山飯店，已是夜間九點，次日付費請該社訂購往北京的飛機票和代訂北京的旅館，都沒有問題，飛機起飛時間是下午，我就付費請導遊帶我去中山陵和玄武湖走馬看花一番，才去機場登機飛往北京。

在北京下機後，就找到國際旅行社的接待員，他僱計程車把我送到離市中心相當遠的友誼賓館下榻。當時北京最好的旅館是北京飯店，其次就是以前招待蘇聯顧問人員的友誼賓館，別的如華僑飯店等次級旅館，都是很舊和設備較差的旅店。友誼賓館的建築是宮殿式，不是高樓大廈，有很多棟館舍，我住的一間有兩張床，有很厚的地毯，有桌椅和熱水壺，相當舒適。賓館裡住的幾乎全是外國人，也有外幣兌換室，祇可惜距市中心太遠，來回都要僱計程車，頗不方便辦事。我住下後，即打電話給旅行社代表，請他代購由北京到昆明的飛機票，催促幾次都無結果，最後他說，由我自己去中國民航售票處購票較好。我祇好自己去售票處排隊等候，約一小時，前面有幾位知識份子，大概看見我的穿著與國內人不同，是國外來的華僑，就主動讓位給我，叫我站到前面去，所以我就順利購到了五天後的飛機票。

要等五天才能乘飛機去昆明，這五天怎麼辦呢？我想一想，決定到市中心的華僑飯店去看看有無空房，當時已經客滿，辦事員建議我到屬於中國旅行社的向陽二所去試試看。我到了那裡，在廣告板上看見中國旅行社主辦的旅遊團，有三日遊的和四日遊的，我就去辦公室與他們交涉說，若向陽二所給我住房，我就參加它們的四日遊。他們翻開旅客簿一看，告訴我當天下午六時有一香港旅客要離開，若我能等到下午六時，就可住那一間小房間，我說可以，馬上就回到友誼賓館退房，把行李帶到向陽二所，存放在那裡，並報名參加次日開始的四天旅遊團。

向陽二所很陳舊，住客多半是香港小商人和東南亞華僑，我住的房間既小又簡陋，很不舒適，但飯廳的菜飯，則價廉而又可口，我們的旅遊團約二十人，除我一人外，其餘都是從香港和東南亞來的華僑，導遊是廣東籍，能說國語和廣東話，在四天內，他帶領我們遊覽了天安門廣場、毛澤東紀念堂、人民大會堂、故宮博物館、頤和園、北海公園、長城、明十三陵、蘆溝橋、天壇和軍事博物館等名勝，大家都很滿意。在軍事博物館的樓上，有一間中越戰爭的圖片展覽，指責越南對中國忘恩負義，展覽室外則有一告示牌，上面寫著「謝絕外人參觀」，因爲我們都是華僑，所以特別帶我們來參觀，並帶我們去看了樓下存放著的被中國解放軍俘獲的越南槍砲。

期待已久，回雲南探親的日子終於到來，我乘的中國民航英國產三叉戟客機，在漢口停了約半小時，再飛向昆明，全程飛行時間祇不過兩個多小時。當時慣例，航空公司給每個乘客都送一份小禮物，這是在其他國家沒有的，服務員也比較隨和，不像上海和北京的商店售貨員那樣粗魯，你要她們從貨櫃裡多拿出幾件貨品來看看，她們就很不高興的說：「你究竟想買不買」？好像你是在求她們一樣。

在昆明機場下機時，突然看見趙崇齡兄在機坪上迎接，並備車要把我接到他家去，但因我已先接到妹妹汪瓊玉的信，她們要到機場來接我，所以雖然趙兄的盛情難卻，也祇好婉謝，約定翌日相聚。然後由瓊玉妹等送我到預訂的昆明飯店下榻，再到她家與親人見面，相別三十多年，歷經滄桑，今日能與三弟汪璞和瓊玉妹重聚，並與尚不認識的親屬晤面，歡欣之情，不言可喻，當晚聚餐時，發現璞弟手抖頭搖，幾乎不能舉杯握著，始知他在近三十年政治迫害與家庭悲劇中所受的折磨不少。

次日在瓊玉妹家與預先約定的前妻關柏齡晤聚，在我回大陸前，已經過瓊玉妹的協助與她取得聯繫，她在信裡提到曾兩度自殺未遂，後由一農民救了她，於是就和那農民「成了一家人」的辛酸過程，我回信安慰她，我們的分離是受環境逼迫所造成，以前的事祇好讓它過去，從此以後，我就把她當親妹妹一樣看待，並希望我到昆明時，能和她見面。後來據瓊玉妹說，她現在的「愛人」最初不同意她和我見面，經多方解釋，並由瓊玉妹與妹婿蘇朝榮擔保我決不會把柏齡帶走，他始勉強同意。當天我們晤面時，我先把送她和她「愛人」的禮物送給她，並和她單獨談了一段時間，爲了避免對過去的傷感，我們儘量避談以前的不幸遭遇，所以我們沒有哭哭泣泣，是一個很隨和的重聚。從此以後，我每年過春節都送禮給她，和送禮給瓊玉妹一樣。

在昆明的老同學和老朋友知道我回到昆明，都熱忱歡迎，並與當時擔任雲南大學經濟系主任的朱應庚兄，在雲南大學任教的趙崇齡兄與武希轅，和在民族學院任教的劉文藻兄共同乘車去石林旅遊。那時的石林已開發爲觀光景點，蓋有一間賓館，但景區設備很差，在賓館與石林入口之間的公廁，衛生設備簡陋，臭氣衝天，在賓館門前皆可聞到，令人甚感不快。在回程中，向雲南大學借用的老巴士突然斷電，不能行走，車上沒有充電瓶，但司機很有經驗，他用手把前窗刷霧水的電動刷子上下移動，使之生電，經過一段時間，居然使引擎發動，繼續開行。也許爲了省電，一般車輛在夜間開行都不開頭燈，祇在兩車對開接近時才開燈，使我非常不安，深恐司機看不清路面而出車禍，幸而沒事，回到了昆明。

當時的大陸，經過文革十年浩劫，剛開放不久，一切落後，求知慾很強，凡有專長的海外華人回國探親觀光，都被有關單位請去作知識交流。所以我回到昆明時，曾被會計學會和財稅學會等單位請去演講及開座談會，由我講述美國的會計原理，審計作業和財稅制度，當我提到在美國購買貨品要上消費稅時，主持會議的昆明市委副書記很是驚訝，打斷我的發言，說這是他第一次聽到有這種稅。此外，我講回國探親觀光的觀感，就把旅館與商店服務員不禮貌和石林觀光區不清潔等講給他們聽，他們說會向上級反映。

因我在昆明的約會很多，而我的假期有限，原來華寧縣當局準備歡迎我回家鄉的計劃，就無法實施，堂侄汪祥曾率全家到昆明來邀我回去，並說縣政府已把招待我的住處粉刷一新，我不可不去。但我說因時間倉促，不能分身，衹好把各單位的邀請函交給他帶回去交差，並代我致歉意和謝意。同時我利用等班機的兩天時間，到母親墳上去拜祭，並由瓊玉妹陪同到西山、安寧溫泉、筑竹寺等地去走馬看花遊了一圈，然後設宴告別親友，乘飛機由昆明飛到香港，當天是第一次開航，特在昆明機場舉行開航典禮，有樂隊和舞蹈表演，並贈送當日旅客一比較精緻的紀念品，是很難碰到的機會。

到香港後即打電話與政大同班同學胡鴻烈與黃金鴻兩兄聯絡，相別近四十年，異地重逢，相見甚歡。他們兩人都有香港的大律師執照，和博士學位，各有成就。胡兄並擔任樹人學院院長，在香港作育人才，尤爲難得。另外我也拜訪了復初的同學吳達偉醫師和他的夫人陳心醫師，陳醫師是九龍伊利沙伯醫院的院長，他們的女婿是城外公立青山精神病院的醫師，特別開車帶我去他的醫院和新界邊界的高爾夫俱樂部看看，並在新界逛了一圈，給我很深的印象。因爲還要等回美國的班機，我就利用這段時間，參加當地的旅遊團，乘水翼船去澳門觀光。當時澳門還是葡萄牙的殖民地，也是聞名的賭博場，我們特地去賭場看看，該賭場在遠東是最大的，但與美國拉斯維加斯的衆多大賭場相比，則是小巫見大巫，規模小得多了。

由香港回到美國，爲期三週的探親旅遊即告結束，期待多年的願望，終於實現，甚感幸運，甚爲愉快。

第十八章　退休變成惡夢

我和復初兩人都在政府機關工作，她在州立醫院工作，是州政府的僱員，屬於加州州政府的退休系統。我是縣政府的僱員，屬於三瓦坤縣的退休系統，各有自己的退休基金，自行投資生息，於僱員退休時，依照規定，按工齡工資年齡與僱員選擇的給付方式，決定每月付給的退休金數額。復初所屬的退休系統，祇要工作超過十年，年滿五十五歲即可退休，而我所屬的退休系統是與聯邦政府的社會安全退休制度（Social Security Act）聯在一起，必須服務至少十年，年滿六十二歲才能領取退休金。所以我們兩人能夠退休的時間不同，復初因曾患子宮瘤和乳癌，動過幾次大手術，健康不良，所以一九七二年起即由全職工作改爲半日工作。到一九七五年她滿五十五歲時，即自州政府退休，改在三瓦坤縣立醫院精神病院做半天門診工作，不須夜間值班，以減輕工作壓力，同時每天有點事做，也不會有無所事事的感覺，是一很好的安排，如此過了十三年。

在這段期間，我們的女兒已從史丹福大學和西方醫科大學（Western University for Health Sciences）的醫學院先後畢業，在密西根州，Flint 市的一醫院做實習醫生，我和復初兩人除在加州多個名勝地區度假外，也曾兩度外出遠遊，一次是乘遊輪去阿拉斯加旅遊，這是我們第一次乘遊輪，兩人一臥艙，艙內有一小洗澡間，有電視，有桌椅，船雖不很大，也有六層之多，設有漂亮飯廳、電影院、游泳池、酒吧、圖書館、健身房等等，使我很有新鮮感，與我一九四八年從上海到舊金山所乘的客船（原來是美國第二次大戰時的運兵船）相比，眞有天淵之別。我們從沙加緬度（Sacramento）飛到阿拉斯加的安科里奇（Anchorage），轉乘小火車，穿越約十里長的烏黑隧道，到一小港 Whiltier 上船向南開，經過冰川海灣，參觀冰川冰牆破裂墜入海中的奇觀，並在 Skagway，Juneau 和 Ketchitan 等港口停留上岸參觀。在 Skagway 時，我們購票乘專車，沿十九世紀中期，淘金人潮在冰天雪地中冒死翻越山谷到加拿大 Whitehorse 去淘金的老路，越過山頂，到加拿大境內觀賞高山雪景，並在導遊指點下，看見了北美洲最有名的地震斷層 San Andreas 最北起點。在 Juneau 時，我們也購票去參加在城外山谷內的烤鮭魚午餐，在沿途小溪中，看見成群的鮭魚由海中進入內河，到上游去產卵的情景。鮭魚（Salmon）是阿拉斯加最主要的海產，ketchitan 市有多家鮭魚罐頭廠，我們曾去參觀，並購買鮭魚成品，是一個很難得的機會。遊輪離開 Ketchitan 後，繼續沿內陸水道（Inland waterway）向南行，有時可看到在深海中捕撈大比目魚（Halibat）的漁船，最後到達加拿大的溫哥華市，下船乘飛機飛回加州，完成第一次的遊輪旅程。

第二次也是最後一次我和復初出國旅遊，是一九八五年十月，我們參加士德頓華裔友人李彼珍醫生組成的旅遊團，依照新加坡航空公司推出的中星泰港旅遊節目，到中國，新加坡，曼谷和香港旅遊。這時我已退休一年多，有的是時間，但復初仍在做半工，不能離職太久，所以祇有二十二天的旅程，但也看了不少名勝古蹟和文物，走過了上海、杭州、桂林、昆明、西安、北京、新加坡、曼谷和香港等城市。那時中國已開始發展旅遊業，新的觀光旅館，正如雨後春筍，在各地開始建造，我們住的旅館，有幾家是剛建好的，如上海的上海賓館和北京的假日酒店，都是新建的，與我一九八一年，第一次回大陸時相比，已大不相同。我們參觀過的古跡名勝有上海的玉佛寺、城隍廟和黃浦江、杭州的西湖、錢塘江、六塔寺和產茶的龍井區，桂林的七星崖、蘆笛崖和整天的漓江遊。到昆明後，復初隨團去參觀石林，西山，大觀樓和金殿，我則留在市內與親友晤聚。在西安時我們去看過秦朝兵馬俑展覽館、秦始皇墓、華清池和城內的鐘樓。在北京我們多住了一天共三天，參觀的古跡名勝也較多，包括頤和園、北海公園、故宮博物館、長城、明十三陵等。這次在中國的旅遊，一切由旅行社包辦，全程有一導遊相陪，在各地另有當地的導遊引導及講解歷史文物，雖然必須加付小費給導遊，走馬看花，但方便省力省事，是一大優點。

我們從北京乘新加坡航空公司的飛機，直飛新加坡，住進了五星級的文華酒店。當日下午，即去參觀當地有名的植物園，並去具有歷史意義的牛車水街巡禮，這條短短的小街，是當地中國城或唐人街的遺跡，被保留下來作爲歷史文物，街道幽靜，兩旁的矮小商店仍在營業，象徵華人在新加坡拓荒的歷史，使新加坡這個島國，成爲中國以外華人最多的獨立國家之一。尤其值得特別一提的是市街的清潔，全世界第一，在街上看不到一個煙頭，一片字紙，所有建築物的牆上看不見一點塗鴉，其所以能有這樣的成就，是嚴格執行嚴厲的法規所致，若丟一根煙頭，一根火柴或一小團字紙在街上，就要被重罰，若被發現塗鴉或其他惡作劇行爲，就會被判杖刑，依情節輕重打若干大板，有時打得不能行走，所以沒有人敢輕易犯法。有一次隨母親在新加坡居住的一美國頑皮少年，與同伴在街上損壞停車作樂，被捕後依法將被判杖刑，在美國引起轟動，認爲杖刑不人道，提出抗議。結果同犯的新加坡少年被判杖刑，而美國籍的頑童則被驅逐出境，這嚴厲的法律，使每個到新加坡的遊客都特別當心，不敢以身試法。

第二天我們參加馬來西亞半島最南端柔佛州的觀光團，乘車經過連結新加坡與馬來西亞半島的堤道，和供給新加坡用水的大水池，向半島的最南端開行，沿途參觀了華人經營的油棕櫚園和橡膠園，最後到了位於半島終端的一個小漁村，村裡的居民全是華人，住房和街道都建在水上，全是木結構，並建有一座水上中國戲院，據說天氣晴朗時，可看到南方的蘇門答臘島。

在新加坡住了兩晚，就乘飛機到泰國的首都曼谷，這時雖已是十月下旬，曼谷的天氣還是很悶熱。泰國的華僑很多，控制了泰國的經濟，泰國人很喜歡金飾，所以曼谷的金店特別多，據我們的導遊說，這些金店百分之九十是華人開的。泰國有很多特別風情，曼谷城內的水上市場，就別有特色，衆多的熱帶水果，形形色色，充滿了整個市場，顧客很多，熙熙攘攘，相當熱鬧。市內佛寺佛塔也不少，泰人信奉的是小乘佛教，青年男子都要進佛寺做六個月的和尚，出外化緣（要飯吃），家家每求必應。泰人的舞蹈也很別緻，我們曾去一夜總會吃飯觀看表演，大家都要脫鞋才能進去，所以門外擺滿鞋子，裡面分排而坐，沒有刀叉筷子和湯匙，以手食爲主，據說表演女人舞的，很多都是男子漢。我們也集體到城外的巴提亞去遊覽，那裡可以騎大象，看大象表演和看泰國舞，在來回途中的田野間，可看見高架住宅，據說當地雨季常氾濫，所以必須把房舍蓋在高架上，以免被水淹沒，泰人每年都有盛大的潑水節，可惜我們去的時候節令已過，沒有能看到。

香港是我們這次旅遊的最後一站，從曼谷到香港的飛機屬於國泰航空公司，與新加坡航空公司的飛機同樣舒適，服務也不錯，飛行時間約兩小時，所以到香港後，住進尖沙咀的一間與海港城相連的旅店，就到海港城去「逛街」。海港城事實上是一室內大商場，面積很大，走廊既寬又長，商店不少，也很整潔。香港是全世界有名的購物寶地，品樣多，價廉物美，而且不徵稅，是最繁榮的貿易商港，競爭非常劇烈，舉一例即可見一斑，香港西裝名聞遐邇，可以隨時訂做，四十八小時即可交貨，這是在任何其他城市都沒有的，我曾訂做了兩套，名不虛傳。香港地狹人稠，景點不多，除逛商場購物外，我們祇參觀了虎豹別墅和山頂公園，住了兩晚，即再乘新加坡航空公司飛機飛回美國，完成一次愉快的旅程，也是復初最後一次的國外旅遊。

一九八七年女兒從醫學院畢業，復初乃決定於五月退休，六月到南加州參加她的畢業典禮，當時復初的姐姐沈宗英在洛杉磯市工作，她和我們的朋友也去參加，畢業典禮結束後，我和復初先回家，女兒則收拾行李準備去密西根州的一個醫院做實習醫生，六月底我一人陪她開車去醫院報到，實習期限爲一年。在這期間，我想和復初同去台灣一遊，但她不願去，要留在家中休息，於是我就於一九八八年四月中旬獨自一人去台灣，並託時任台灣中興信託公司總經理的莫家慶兄代我租了一小套房，準備在那裡住一個月。

這是我第二次到台灣，第一次是一九七四年，當時五弟汪瑋全家住在台灣左營海軍基地內，我是去看他們和旅遊的。初次到台灣，印象完全不同，最突出的有四點，一是補習學校多，有一條街掛了很多補習學校的招牌，第二是商店售貨員多，在大百貨公司內，每個櫃台裡至少有一個售貨員，與美國的大百貨公司完全不同，第三是計程車和摩托車多，到處都可看見，第四是洋服多，中國傳統的長衫和旗袍，已很少見到。那時是前中央幹部學校教育長蔣經國先生如日東昇的時候，我的幹校同學是他的主力幹部，我受到他們的熱烈歡迎和款待。我在政大的同期同學也有不少在台灣，久別重逢，倍加親熱，時任立法委員的張希哲兄，特別借車陪我去遊陽明山，和訪問文化學院創辦人張其昀先生，美國科羅拉多大學在台校友也有聚會，當時剛從台中中興大學校長職位退休的劉道元學長約我到他家餐敘並參觀該校園，前台灣省政府委員翁鈴先生特別帶我去遊烏來，時任經濟委員會副主委的雲南同鄉前雲南省地政局長和民意日報社長楊家麟先生，並在家中設宴招待我和時任立法委員的陳玉科先生等人，並話鄉情。我也去醫院探望前政大行政系系主任張金鑑先生，到名畫家黃金碧和馬壽華兩先生的畫室買畫，並專程到市外深坑天主教堂去看望復初的叔父倪幼民神父，這些活動都是在老同學龍得志、龍名登、黎元譽、唐振楚等兄協助下進行的。同時瑋弟也從左營到台北來看我，我就和他乘火車到高雄與他的家人和親友見面，住了三天。瑋弟和弟媳王書芬就陪我到阿里山、日月潭、梨山、天祥、太魯閣和花蓮遊覽，在花蓮分手，他們乘火車經台東回高雄左營，我在時任花蓮師範專科學校校長何讓同學家中住了一晚，次日應邀在該校演講後，即乘飛機返回台北，再乘飛機經關島與檀香山回家。

因爲第一次去台灣已經遊覽了許多名勝，參觀過許多地方，這次就沒有再去重遊。在過去十四年中，台灣已有重大變化，在市容方面，台北市已有若干新區，高樓大廈林立，一片繁華景象；在人物方面，我的老同學當中，如李煥、王昇、唐振楚、潘振球、楚崧秋、易勁秋、崔德禮等皆已位居要津，但多位同學老友也已先後去世，蔣經國總統亦已物故。我去醫院看望張金鑑老師時，他感嘆地說，上次我到台灣，他在醫院養病，這次我來，他也在醫院治病，很不湊巧。由於這次到台灣住得較久，我有時間去新竹工業園區拜訪台揚科技公司總經理謝其嘉夫婦，參觀了他們的工廠和當地的清華大學，在台北則與時任最高法院大法官的姚瑞光，時任逢甲大學校長和立法委員的張希哲及莫家慶、鄭葆琦等政大十期同學，及中央幹校研究部第一期同學唐振楚、何讓、孔秋泉、龍得志與易勁秋等晤聚，逛街購物。有一天，在一旅行社看到去韓國和日本旅遊的廣告，引起了我想去參加的動機，就去與幾家旅行社接洽，最後由好友翁廷府君協助，與他認識的一家旅行社談好條件，參加他們的韓日旅遊團，離開台灣。

第一站是韓國首都漢城（現名首爾即 Seoul 的譯音），它是改造過的一座古都，漢江從城中穿過，江岸是石頭與水泥構成的斜坡，看起來很整潔，但缺乏江岸的自然風光，我們的導遊是一韓國華僑女士，據她說，韓國政府祇許華人開餐館和小店，當時對外匯管制甚嚴，所以韓國人要想到國外旅遊，非常困難。她帶我們去參觀韓國的故宮，其中一座有用木片拼成圖案的窗子，據說是四百年前創造韓文的國王的居室，他就是仿照這些圖案中的直線，直角，和方圓而創造出韓文的字母。她也帶我們去參觀紀念韓戰中殉職的美軍將領華克將軍General Walker的華克山莊，和停戰協定簽字地的板門店，該地有紀念館、觀察站，並設有非軍事區，雙方各有重兵把守，互相監視。導遊警告我們，切不可正對北韓方面拍照，否則可能被對方槍擊，所以我祇向側面照了一張相，以作紀念。韓國是人參的主要產地，在回程中看見許多矮草棚遮著的人參種植場，人參和人參精都由政府專賣，是遊客最喜歡購買的禮品。

漢城觀光結束後，我們乘飛機經韓國南部的光州，抵達日本的福岡，當即由台灣留學生擔任的導遊接上車，經過對馬海峽去廣島參觀，該市在二次世界大戰末期被美軍投下的第一顆原子彈夷爲平地，死傷近十萬人；三天之後，美軍在長崎投下第二顆原子彈，炸死三萬九千人，炸傷二萬五千人，日本祇好投降。日本人爲了不忘這段慘痛的歷史，在廣島建了一座和平公園，裡面有展覽廳，紀念死難者的無名碑，和掛滿弔祭品的小尖廟，公園的一角還保存著被炸穿但尚未倒塌的一座類似教堂的建築物，在公園內參觀的人，幾乎全是遊客，祇看見稀少的幾個日本人。參觀完畢，在回程中遊覽了日本最有名的岩洞秋芳洞，這是由日本天皇命名的崖洞，相當壯觀，由最上面的洞口進入，順著稍微傾斜的小徑逐一觀賞洞內的各種鐘乳石，從山下的洞口走出，旅行車已在洞外等著我們，繼續開到下關，在那裡參觀了中日甲午之戰中國被迫簽訂馬關條約，把台灣割讓給日本的會場，會議桌和李鴻章與伊藤博文所坐的椅子，仍保留在原來的地方，足以發人深省，隨即再乘車到門司港，登上遊輪，經瀨戶內海開向大阪。

這艘日本遊輪有兩種完全不同的客艙，其一爲西式艙，每間客艙有兩張架子床，上下舖可容納四人，其二爲日本式艙，是大統艙，地上排滿了塌塌米，每人一蓆，每蓆的床頭有一小衣箱，分爲男女兩部份，船上看不見有封閉浴室，祇有冲洗淋浴室，我去男淋浴室看了一下，日本人都是脫光衣服在那裡冲洗，覺得很不習慣，沒有去嚐試。

次晨遊輪抵達大阪，下船後我們參觀了大阪有名的主要市場，珍珠店裡有各種式樣的珍珠首飾，琳瑯滿目，但價格並不便宜。我們在大阪祇停留了約兩個小時，就乘車向東行，沿途觀賞了日本最大的淡水湖琵琶湖，錦帶橋和白絲潼瀑布，這瀑布有兩組，一組叫男潼即男瀑布，另一組叫女潼或女瀑布，但流量都不大。我們也參觀了有名的水上神宮，所謂神宮，其實是一「幵」字型的牌坊，建在水上，並不壯觀，岸上的公園也很小，此外我們還遊了平和公園，這是一個佛教聖地，裡面有日本山妙法寺和露天的高大佛像。

當日傍晚，我們抵達富士山北面五小湖中的山中湖，住進了當地的日本式觀光旅館，這旅館雖不大，但和東京五星級的王子大飯店一樣，都很整潔，服務也很好。我一人住的客房有一小會客室，設有會客用的矮四方桌和席地而坐的布墊，臥室內是一床已舖好的塌塌米，上面是一張日本棉被，棉被上放有燙折很整齊的睡衣，這是我平生第一次睡塌塌米，有很新鮮的感覺，第二天早晨，我們全體穿睡袍到餐廳去吃早餐，別有一番風味。

吃過早餐，我們就收拾行李上車，經過五湖中最大的河口湖，從那裡向南遠眺，可清楚看見上半部有白雪覆蓋的富士山，開向東京時，穿過了箱根御關所，據說這裡是日本藩閥割據期間關東與關西的交界處，設有收過境稅的關卡。過此之後不久，就到了東京，住進新宿區最高的王子飯店，當天下午導遊帶我們在東京有名的銀座轉了一圈，然後去電子街參觀，這條街不許車輛進入，商店賣的絕大多數是電子產品，與其他街道不同。

次日我們去參觀明治神宮，門口有一座用木頭搭建很像中國門字的牌坊，叫做鳥居，是日本人信奉的神門，宮殿並不雄偉，但很清雅，園內的小樹上，掛滿了日本人求籤時所得的籤語紙條，足見日本人也很迷信。明治神宮是紀念日本維新的創始人明治天皇的神廟，現在日本天皇的皇宮佔地不小，有城壕圍繞，平時不許進入參觀，我們衹到有橋的進口處看了一下。

在東京的第三天上午，我們到城外的迪士尼遊樂園遊玩，這是亞洲當時僅有的迪士尼遊樂園，其建築格式和逸樂設備，與美國加州曼海姆的迪士尼遊樂園完全一樣，祇不過遊客幾全是由遠東各地來的亞洲人，人山人海，相當熱鬧。當日下午我和台灣的一對情人共同乘高速火車去橫濱遊覽，一九四八年我從上海乘船到美國求學時，曾在橫檳港停靠半天，當時日本是由麥克阿瑟將軍率領的佔領軍統治，要上岸必須打預防針，我當時咳嗽初癒，不願打預防針，祇好留在船上遠眺，看見很多著和服的日本女子到碼頭送行，這次到橫濱參觀，已不見穿和服的人。

與我同行的台灣遊客，第四天就啓程回台灣，我一人得在東京多住一天，才能乘飛機返回美國，一個人覺得無聊，於是報名參加由一日人帶領的東京半日遊，祇有在不同酒店住宿的四個遊客參加，參觀的地方，多處我已去過。在途中日本導遊給我們用英語講日本風俗故事，他說日本母親管教子女非常嚴格，尤其是對學校功課要求很高，所以大家都說日本母親是老虎母親，他又說日本人的宗旨是有飯大家吃，工作人員一進大公司工作，就是終身職，不用擔憂失業，而且有的工作是爲人設事。他舉個例，在大百貨公司的電梯頂旁站立的小姐，在客人離開電梯時向客人行一鞠躬禮，這是不必要的工作，祇是給那些小姐一謀生之路而已，我們都聽得津津有味。當天傍晚，我到旅館附近的一個地下街去走了一趟，幾條短街都建築在地下，全靠燈火照明，街的兩旁小商店林立，我就在那裡的一個小食店吃了一份日本晚餐。

翌日下午我乘飛機從東京回美國，在舊金山下機後，隨即回到家中與復初團聚，她當時看起來一切正常，所以我們決定在我休息兩週後，於五月卅一日美國國殤日（Memorial Day）邀請朋友到家中餐敘，想不到五月二十九日下午八時許，復初忽感劇烈頭痛，我問她要不要去醫院急診室檢查，她說吃了阿司匹林後已覺好些，不必去急診。我又說，她不舒適，我們就把餐會改期，她說不必改，到了第二天，她多半時間躺在沙發上休息，五月三十一日晚餐後客人離去不久，復初如廁，突然倒在地上，我想馬上送她去醫院，她說不必，等到明天再說。但次日星期一是假期的最後一天，所有診所都關閉，醫生也不看病人，祇好等到星期二去看一代診醫生，他立即送復初去照X光檢查，發現有腦淤血，於是馬上進醫院，經神經專科醫生和腦外科醫生會診後對我說，必須儘快動手術，把淤血的血管拴住，否則即有生命危險，我問可不可以等我和在密西根州做實習醫生的女兒通電話後再決定，腦外科醫生說可以。先前我得知復初腦溢血時，即已告知女兒，此時我又打電話去，女兒敏愼說她已買好機票，約定夜間十時左右可到家，我把這消息告訴了他們，並於十時許女兒到家後立即去醫院與他們會商，隨即決定於當晚午夜十二時動手術，由我簽字同意。

在我簽字前，腦外科醫生解釋說，復初病情相當嚴重，動手術祇有百分之五十存活率，即使成功，也有中風而全身不遂的可能，我和女兒都覺得祇要有一線希望，都比無希望好，所以同意動手術。午夜時復初被送進手術室，醫生告訴我們，手術需要很長時間，我們可以回家休息，手術完後他會打電話給我們，我們於是回家等候消息，次日清晨約四時許，醫生打來電話說手術已完成，尚稱順利，但仍須在加護病房作療養觀察。上午九時許，復初的姐姐宗英從奥克蘭乘巴士趕到，我們即去醫院加護病房看復初，她當時仍言談自若，並對宗英說不必擔心，不意當天晚上，忽接腦外科醫生電話說，復初病情惡化，必須再動手術，要我去簽字同意，我立即照辦，手術完畢，復初麻醉藥消除後不再講話，醫生於是打電話給我說，復初已中風全身不遂，使我們非常震驚，此後我們每天去看她兩次，她都不言不語，令我們非常傷心。

女兒做實習醫生即將期滿，在復初出院前必須回密西根州去辦離職手術，再到加州佛列斯諾市的兒童醫院去做兒科住院醫生，這是兩個月前復初和我陪她去那裡辦好的，我則等待復初出院，也就是惡夢的開始。

第十九章　八年多的辛酸與奮鬥

復初在聖約瑟醫院（St. Joseph Hospital）住了十二天即須出院，但她全身癱瘓，不省人事，需要營養液和氧氣維持生命，且須二十四小時有人看護，回家決不可能，乃在附近找了一家復健醫院，把復初送到那裡療養，我每天去看她兩三次，觀察和督促護理人員給她好的照顧，同時找針灸師給她做了幾個療程，請按摩師給她按摩，我自己也從台灣買來了電子針灸器，用初學的經絡知識，試行每天給她針灸。大約過了一年，有一天她突然出聲音，開始講話，我們眞是喜出望外，隨著她最親密的震旦大學醫學院同學郭毓環醫生來訪，到醫院看她，她非常高興，郭醫生不斷問她是否記得以前的事，她也照答，萬萬沒想到她突然身手發抖，我們震驚之餘，立即叫護士找醫生，經插在鼻腔內的管子輸入大概是治癲癇病的藥物，顫抖停止，但她又陷入昏迷，從此即不省人事，成爲植物人，使我非常痛心，祇要聽說有可能挽救的方法，我都想一試。

有一天，在距此不遠的莫德史托市經商的朱太龍君說，他從中國大陸請來的兩個氣功師，能用氣功治療癱瘓，據他說，他去大陸考察時，看到兩氣功師當衆表演用氣功治好癱瘓，他很信服，特地聘他們到美國來替人治病，我問每次收費多少，他說連交通費在內，每次收三百美元，我說好罷，就請他們來給復初做氣功治療。他們來的那天，我在旁觀看他們如何做法，祇見他們一個站在輪椅前面，一個站在輪椅後面，站在前面的氣功師運氣，兩手掌在距離復初身體約六寸高處，從頭部到足部慢慢下移，重複多次，約過二十分鐘，就說氣已打通，但復初毫無反應，我付了三百元美金給他們，等於白費，毫無效果。

作爲一個植物人，復初自己雖無知覺，但我知道她是很痛苦的，躺在病床上不會動，需要有人替她翻身，否則時間久了就會生褥瘡。爲了防護心肺功能，每日須把她從床上移到輪椅上坐幾小時，尤其痛苦的是由鼻孔插到胃裡的輸液管，隔兩三星期會塞住，必須換新的，在拔出和插入時非常痛苦，護士們都不讓我在病房內觀看，但我在門外可聽到嗆咳聲，使我非常心痛。有一次在插入新管時，護士不小心把復初的食道刺穿了，引起肋膜炎，得馬上送到醫院動手術，開胸腔縫補。後來爲防止再度發生，把輸液管改插在胃部，但時間久了也會阻塞，必須拔出另換新的。有一次不知何故，阻塞了的管子拔不出來，不得不送到醫院，由專科醫生去治理，爲了使復初得到適當的護理，我每天都去復健醫院兩三次，觀察和督促護理人員，給復初應有的照顧與服務。再者，復初最先住的復健醫院，清潔環境祇是中等，爲了得到較好的療養，我在復初食道被刺穿後就把她移到一家較新和較好的復健醫院，在那裡住了近三年，在輸液管阻塞進醫院動手術後，又把她遷到另一家在當地算是頭等的復健醫院，一直住在她去世時爲止。

在美國不論是進醫院或復健醫院都很貴，若沒有健康保險，由自己付全部費用，很可能傾家蕩產。以住復健醫院爲例，窮人或因住院期久而將家產用盡的病人，可以得到聯邦與州提供的醫療救濟（Medicad），由政府直接付給醫院，但有一定標準和條件，若原是貧窮老人，因政府規定的付費不高，衹能進較差的復健醫院，若原來自己付費住較好的復健醫院，則必須等到所有財產已近用完時，方可請求醫療救濟，繼續住下去。醫院因這類病人的收費有限制，賺不了錢，所以將成本轉嫁給其他病人，增加自費病人的負擔，是一很不公平的做法。有些中產階級的病人，則利用法律空子作弊，偷偷把自己的財產轉到子女名下，而僞稱爲窮人，申請醫療救濟，嗣經政府嚴加查禁，才少有發生。

我們有以前工作時獲得的醫療保健（Medicare）福利，還自己付費購買了醫療補充保險，但這些都有一定限制，以醫療保險福利而論，住復健醫院者，政府最多衹付一百天，超過一百天則要自己全付。復初住院共八年又七個月，其中七年多須自己付費，我們兩人的退休金和其他收入，除了我一人的生活費外，全部付給醫院還不夠，所以負擔很重。有一次我到銀行去排隊時，與後面的一個美國年輕人聊天，提到復健醫院收費高的問題，這位年青人說，你何不和她（復初）離婚，離了婚你就用不著負擔這些費用了，我答道，我沒有那種鐵石心腸，在這情況下和她離婚。他這種態度和想法，在美國社會是常有的，衹要看看住在復健醫院的老病人，很少有親屬來探望他（她）們，實在孤獨可憐。

復初住過的三家復健醫院，都是私營企業在此地設立的，每個醫院都可住一百多病人，除病房外，有飯廳供病人用膳，交際廳供病人家屬或訪客休息，並有復健設備和專人替病人做復健工作，這些設備和人員，多半屬於其他專營公司，他們爲了賺錢，可以不擇手段，以欺詐方式多收費用。有一次一個復健人員來找我說，復初全身不遂，足部沒有運動，可能變形，將來若她甦醒過來，就不會走路，所以需要購買防止足部變形的器材，由她來使用替復初做復健工作，要我向復初的私人醫生（每月到院來看病一次）請求同意簽字，我照辦了。想不到隔了幾天，那公司運來了好幾件器材，質量很差，有的根本不需要，那復健人員也很少給復初做復健工作，隨後聯邦政府健保服務中心（Centers for Medicare & Medicaid Services）給我一份通知說，它們已爲復初付給該公司一千多元（確實數字已記不清）的器材費，我看了大吃一驚，這些粗劣器材那値得那麼高價，惱怒之餘，我就寫信去告發，雖然沒有得到答覆，但約一年後，報載該公司受到聯邦調查，其上市股票大跌，幾乎倒閉，足見它的詐欺行爲，一定被很多人告發。

復健醫院的組織都大同小異，每間有一主任，負責行政管理，包括總務財務和人事，下設一護理部和社會服務室。護理部工作最重，人數最多，負責照顧病人，社會服務室負責病人進院出院，娛樂節目和協助病人及家屬解決問題，所有復健醫院都受州政府的保健廳監管，按期派員來視察，及接受病人和家屬的指控，作出評語和改善要求，發給受檢醫院張貼在告示欄供人閱覽。所以要想知道每個復健醫院的好壞，除看建築外觀，室內清潔衛生，病房設備外，再閱讀州保健廳的評論與改善要求，就可完全了解而加以選擇。

在漫長的八年多期間，我一人獨自生活，每天作息，日久都成了規律化，除非有特別事故，每天必去醫院看復初兩三次，若我自己因事不能去，則委託瑋弟或友人代去看她，在這過程中，有幾件事值得一提，一九八八年十二月十七日是我的七十歲生日，女兒給我辦不先讓我知道的生日宴會，邀請親友一百多人向我祝賀。一九九〇年三月士德頓中華文化協會舉辦農曆新年慶會，頒給我名人獎，因我是該會的創辦人之一和第一任主席，對推廣中國文化有點貢獻。一九九一年女兒訂婚結婚，我在友人協助下辦理婚事，宴請賓客，給她完成終身大事，還特別安排由復健醫院派車，在義工協助下，把復初送到教堂參加婚禮，當時她雖不能動彈，但看她的眼神，似乎有點喜悅的表情。一九九二年政治大學十期同學在紐約和大西洋城舉行畢業五十周年慶祝會，我專程去參加，與三十多位老同學相聚一堂，共話平生，非常愉快。一九九四年五月外孫林思成（Steven R. Landgray）誕生，我給他舉辦「薑與紅蛋」慶生宴，他的祖父母都從紐約水牛城遠道趕來參加。也是在一九九四年，我們原來準備自己開發，位於聖他克魯茲避暑勝地的十七英畝山坡地，因受當地政府反成長政策的限制，花了很多時間和費用，才拿到分割許可證，必須再花很多費用，才能開始建造房屋，我獨自一人經營太吃力，所以和女兒的母校西方醫科大學（Western University of Health Sciences）商討後，決定把這塊地和上面的舊住宅按當時估價八十萬元，捐出作爲獎學基金，由該校管理，在復初和我死後分贈給該校、史丹福大學和科羅拉多大學，作爲紀念獎學金基金。

爲了調劑生活，舒解壓力，我也參加旅遊團，作短期旅行，一九九一年十月，是復初病後我第一次出遊，參加旅遊公司主辦的新英格蘭賞楓葉旅行團，全團祇有廿九人，除我一人外，其餘全是白人，依照旅遊公司慣例，旅客的旅費，都是以住雙人房爲標準，若一個人住一房間，則要附加約百分之二十的旅費，我是單身旅客，所以要多付附加費。我們從舊金山出發，飛抵紐約，在紐約住了兩天，除走馬看花，觀看街景，和去天使島參觀自由女神像與移民站外，還去著名的百老匯劇院觀賞名劇「悲慘的事」（Les Miserable），並在當時紐約最高建築物世界貿易中心大廈頂樓的飯店吃晚餐，我還利用半天閒空時間到唐人街和十多個老同學晤聚。離開紐約市後，我們乘旅遊車向北行，沿途參觀了美國有名的西點軍校和幾個景點，最後到了紐約上州，曾舉辦過冬季奧運會的普列士德湖鎮（Lake Placid）下榻，經過該鎮市街時，我看見一間小中餐館，特地一人去那裡吃晚餐，想不到所謂中餐眞是有名無實，中國菜名，西式做法，我問侍者，你們的老板和廚子是華人嗎？他含糊以對。以前我曾在美國小城的中餐館吃過多次中國雜碎，雖不是道地中國菜，還有一點中國味，但這個小餐館竟冒用中國菜招牌，欺騙食客。

我們這次旅遊的主要目的，是觀賞楓樹林中楓葉在秋天變成黃紅紫色的壯觀，但當年雨季稍長，我們早到了一星期，楓葉尚未完全變色，可是滿山遍野已經有了各種鮮艷色彩的楓葉，甚爲壯觀。次日我們從普列士德湖（Lake Placid）鎮向東北行，渡過美國獨立戰爭時雙方船隊在此交戰的查勃林湖（Lake Cahmplain），到佛蒙特州的一個小鎮，參觀製造楓糖和楓糖漿的工廠，再到加拿大邊境的一個山城，據當地導遊說，在美國禁酒期間，這裡是走私的主要通道，偷運者常將酒藏在石群中，有的被遺忘，現在還有人專程去尋找，若找到一瓶，可發一筆小財。當天下午，穿過罕布希爾州遍佈楓林的白山（White Mountain），到了緬因州的首府波特蘭市，由此向南行，就是古蹟眾多的麻薩諸塞州，我們參觀了波士頓港，那是殖民反抗英國壟斷茶葉貿易，將英船上茶葉拋入海中而引起美國獨立戰爭的地方，建有一博物館供人參觀。更難得的是去普利茅斯（Plymoath）巡禮，那是英國清教徒在美洲殖民的第一站，紀念物有他們乘五月花（Mayflower）號木船登岸的大石頭，上面刻有一六二六年幾個字，我們曾登上複製的五月花號船參觀，那船不大，艙內祇能容納三十多人，設備簡陋，可以想見他們渡過大西洋時的辛苦。他們上岸後建立的小村子遺址，仍保持完好，並有裝扮成當時移民的男女，在小木房內以原有的粗陋工具操作，以展示那時的生活情況，很是生動。

由波士頓到紐約飛機場的回程中，我們參觀了哈佛大學的甘迺迪（Kennedy）總統圖書館，有名的航海城賽列姆（Salem），和羅德島州的新港（New Port），當日下午飛回加州。到家後立即去醫院看復初，一切如常，才放了心。

一九九二年我曾出遊兩次，一次是二月下旬，經友人介紹參加戴維斯市（Davis）老人協會的旅行團，到佛羅里達州的遊樂區奧蘭多（Oraudo）去觀光，那裡的娛樂設施不少，最主要的是 MGM 攝影場，Epcot 國際村，和與迪士尼一樣的幻夢王國（Magic Kingdom）。我們參觀 MGM 時，突然來了傾盆大雨，但一個多小時後，又是天朗氣清，這是佛羅里達州變化無常的氣象，所以當地有全日專門報告氣象的電視台。Epcot 是一個與眾不同的遊覽區，一進門就看見展現科技進步的大圓球，遊客可進去瀏覽，再進去，就是沿湖建造的各國縮影景點，其中有一個中國館，我們就在那裡吃中國飯和觀看中國舞蹈表演。

我們在奧蘭多一共住了七天，除遊覽上述景點外，還去參觀美國發射衛星的甘迺迪太空中心（Kennedy Space Center）和火箭發射場，都非常壯觀。從那裡向北行，到了美洲殖民最古老城市之一的聖奧格斯丁（St. Augustine），那是一個小城，鄰近海港，街道和房舍都很老舊，行人稀少，可見早已沒落。最值得欣賞的是柏樹園（Cypress Garden）的滑水表演，和中古時代場（Medieval Times）的歐洲中古騎士打鬥表演，雖說是表演，也有點逼眞的感覺。在啓程回家的前一晚，我們還在聖約翰河（St. John River）的遊船上晚餐和觀看舞蹈，此次旅遊時間雖短，卻有很多收獲。

同年十一月中旬，我參加士德頓姊妹市協會的訪問團，到墨西哥去訪問與士德頓結爲姊妹市的恩帕米市（Empalme），得到當地姊妹市協會的熱忱招待，十一月十九日是墨西哥的革命紀念日，我們被邀以貴賓身份在檢閱台上觀看遊巡隊伍，但規模不大。其後又去觀看加利福尼亞海灣的瓜瑪斯海港（Guaymas），和附近的渡假城聖卡洛斯（San Carlos）。訪問完畢，一部份團員即回士德頓，我和另外九人則飛往墨西哥首都墨西哥城（Mexico City），從那裡乘旅遊車去遊覽西班牙在墨西哥建立的幾個殖民地古城，出墨西哥城不遠，即看見附近的工廠濃煙衝天，無怪乎墨西哥城市街灰塵很多，空氣污染非常嚴重。市內的一條大街，車水馬龍，卻有人不顧安全，居然走在來往車群中，向司機和乘客售賣報紙和其他物品，實爲罕見。當天抵達聖密古城（San Miquel de Allende），城市很小，但頗有名氣，是藝術家的集中地。第二天到了該區最大的古城瓜拿瓦多（Guanajuato），在那裡參觀很特別的乾屍展覽館，有幾十具乾屍，仍穿著他們死亡時的衣服，躺在架子床上，據說這些乾屍是從墳裡挖出來的，因當地氣候乾燥少雨，土質疏鬆，所以屍體未腐爛，而成了乾屍。從瓜拿瓦多向南行，途中參觀了一座歷史悠久的大銀礦。墨西哥是銀的主要產地，西班牙和葡萄牙這些殖民國家侵略美洲主要的目的之一，就是奪取金銀財寶，中國清朝統治時期作爲通貨的白銀，很大部份就是從墨西哥來的，所以叫做墨銀。在返回墨西哥城途中，我們經過一個名叫莫列利亞（Morelia）的大城，除商店中銀首飾衆多外，地攤上也擺滿了銅首飾，價廉物美，我買了許多件帶回送給復健醫院的護理人員，據美國人說，把銅首飾帶在手上可以治風溼，所以很受歡迎。

我對墨西哥的印象是墨西哥人很熱情，但很多我們到過的地方，都是地瘠民貧，他們的主要食品是豆類和玉米，辛辣可口，別有風味。美國的墨西哥移民最多，所以墨西哥餐館在美國也很多。

一九九二年十一月，我妹妹汪瓊玉從昆明到加州來探望我和瑋弟，她在當年年初即向美國領事館申請入境簽證，去成都跑了三次都被否決，理由是她有移民傾向，我請求代表我們選區的國會議員協助，寫信給成都美國領事館也沒有用，最後是她的中學同學也是當時中共雲南省委書記普朝柱的夫人幫忙，由雲南省外事局打電話給成都美國領事館，才給她入境簽證，眞是得之不易。一九九三年四月，在她的旅行健康保險將到期前，我帶她參加華人旅行社主辦的美東旅遊團，先到紐約市，在那裡遊覽了自由女神公園，愛列斯島移民站，洛克菲勒中心，世界貿易大廈和華爾街，夜宿紐澤西州的一個小旅館，次日驅車到費拉德爾菲亞市，參觀美國獨立革命的古蹟自由大鐘和議會代表議事廳（Independence Hall and Chamber of House of Representatives），再繼續開往美京華盛頓，參觀國會大廈、首都廣場（Capital Mall），和裡面的華盛頓紀念塔、傑佛遜紀念館，與林肯紀念館和甘迺迪紀念廳，也去看了林肯總統被刺後死亡的地址、林肯博物館和越戰陣亡將士紀念碑；但原來計劃去參觀的白宮，則因當日參觀券已賣光，不能進去，祇好在白宮前的拉法葉公園照相留念。離開華盛頓向北行，當晚住在賓夕伐尼亞州的首府哈利斯堡（Harrisburg），次日再向紐約州和加拿大交界的尼加拉瓜大瀑布前進，途中經過柯寧市（Corning），在那裡參觀一座很特別的玻璃博物館，這是有名的玻璃磁器公司（Corning Co.）建造的，收藏豐富，從早期波斯製造的古玻璃到幾千年來全球各地的產品都有，琳瑯滿目，蔚爲奇觀。當晚到達水牛城（Baffalo）。住進距大瀑布不遠的一個汽車旅館，便迫不及待穿過重門疊戶，走到瀑布旁看夜景，在加拿大一側的多色燈光，照在瀑布上，顯得特別艷麗。次晨我們沿河岸邊走看全景，加拿大境內的馬蹄形大瀑布，水量較大，也較壯觀，美國境內的美洲瀑布（American Fall），則因多年前瀑布口岩石崩毀，已不如一九四九年我第一次來參觀時那樣美觀，我原計劃像上次一樣，乘小舟到水花四濺的瀑布前溜覽，但四月間天氣仍冷，小舟尚未開航，不能如願，又想上瞭望台觀景，也因走道結冰不能上去，甚爲失望，這是我們遊覽的最後一站，隨即向南開行，到紐約的甘迺迪機場乘飛機回加州。

復初病後的第二年，北加州曾發生一次災難性的大地震，那就是一九八九年十月十七日，震央在聖他克魯茲山中的六級大地震，舊金山和奧克蘭地區災情很重。公路橋樑震裂震倒的不少，許多建築物也受嚴重毀損。當天中午，我曾開車越過聖他克魯茲山，到我們位於艾普托（Aptos）的山地去處理問題，在那裡停留了約兩個多小時，然後去卅英里外的蒙特列市探望復初的老同學鄒茂石醫生，約五時許到了她家，進門不到半小時，忽然屋搖地擺，我們嚇得往桌子下躲避，繼而停電，打電話也不通，到晚餐時，因爲沒有電力不能在家做飯，想到飯館去，飯館也一片漆黑，都不供膳，最後去一家超市，想買一些已做好的食品，但已被搶購一空，衹好在暗淡的燭光下，胡亂買了些生肉回家，用碳火烤吃。到了深夜聽廣播，得知聖他克魯茲市一帶，因橋樑被震塌，對外交通完全斷絕，恐要三天後才能清除障礙通車，我幸而早半小時離開該地，否則將被困在那裡，不勝自喜。次日早晨，探知蒙特列到一零一號國道可以通行，我就開車繞路回到家中。

以上所述，是復初生病住復健醫院八年多期間我的一些生活情況，更重要的是我在這逆境中的奮鬥與成果。俗話說「藉酒澆愁」，以酒來解脫心中的苦悶，而我是以寫作來打發時間，安慰自己。前面提到過，我每天去醫院兩三次看望復初，並常用電子針灸器給她針灸，回家後，最主要的工作，就是整理早在退休前即已開始搜集的資料，繼續思索，從事寫作，前後經過至少十年的努力，終於完成，於復初去世後半年出版，書名爲「權力與金錢」（Power and Money）獻給復初，作爲永久紀念。

這本書是用英文寫的，因爲我不善打字，完全是用手寫，每寫好一兩章就送去請友人談民偉博士（Dr. Raymon Tom）的夫人卡洛琳（Caroline）輸入電腦，印出草稿，幾經修改校正，獲得美國國會圖書館圖書編號後，於一九九七年六月印行出版，並於一九九八年一月二十四日由士德頓中華文化協會（Chinese Cultural Society of Stockton）在本地 Bookmart 書店舉辦新書發行爲讀者簽名茶會，當時世界日報曾有報導。

書的主要內容，是以人類的慾望爲出發點，來分析社會進化的歷程，與人類未來的可能結局。在遠古時代，人類與其他動物的基本慾望是一樣的，即食色與安全，食以維持生命，色以滿足性慾和繁衍後代，安全以防被侵害。但人類與其他動物兩者之間，有一極重要的區別，那就是其他動物的慾望是有止境的，祇要能吃飽，性慾得到解決，和有安全棲身之地，就能滿足，不再有其他要求，而人類的慾望卻是無限的，除了食色性等基本慾望外，還有其他的慾望與追求，而最高的慾望就是權力（Power）和金錢（Money）。因爲有了權力或金錢，就可對食色住等享有最大的滿足，爲了攫取權力，累積財富，驅使人類互相競爭，甚至互相殘殺，於是出現了政治經濟軍事宗教及社會等方面的各種活動，和用來規範這些活動的教條、學說、法制和組織規章，使人類社會日趨複雜，再加上人口日增，資源短缺，和環境污染等問題，使人類的未來蒙上陰影。要想挽救人類的命運，必須把握時機，成立一全球統一政府，來控制人口增長，防止戰爭，統一籌劃經濟發展，善用資源，保護環境，才有希望。

全書三百七十五頁，共約十六萬一千字，沒有照片和圖表，是我一生中最主要的著作。

第二十章 苦盡甘來

復初於一九九七年一月二日病故，她是一九二〇年七月十六日生，享年七十七歲，如前所述，她在復健醫院住了八年多，不省人事，是植物人的生活，所以她眞正的正常生活不到七十年，她最後的死因是肺炎，這是復健醫院中最常見的死亡原因。在病人入住時，必須在表上塡寫死亡後的殯儀館名稱，以便病人死亡後，院方可立即將屍體送去殯儀館。她去世當天的早晨，我接到復初私人醫生的電話，告訴我復初已去世，他是去醫院確認復初已氣絕，宣告死亡，並簽好死亡證後才告訴我的，我聽了不禁淚下，立即去醫院，但她的屍體已被院方送去殯儀館，我馬上打電話給殯儀館，被告知他們將開始處理屍體，必須等幾天才能去看，但要我去他們的棺木店選棺木，我就打電話告知女兒，要她來和我一同去選棺木及服飾，並籌辦喪事。

喪禮是一月九日，在殯儀館舉行。兩天前我們才獲准去省視，她已被打扮得像模像樣，穿著整齊，閉目躺在棺內，因爲復初是一虔誠的天主教徒，她的家庭已經幾代都信天主教，她的叔父和一個哥哥都是天主教神父，所以我們雖沒有在天主教堂給她辦喪禮，也請了以前每星期都到復健醫院去看她的一位神父到殯儀館來主持喪禮，近百人親友和我以前的同事也蒞臨參加。喪禮完成後，隨即將靈柩運到城內最大和歷史最久的士德頓鄉間墳場（Stockton Rural Cemetery）舉行葬禮安葬，然後設宴謝客。

美國的墓園和中國傳統的墳場完全不同，除政府公墓外，一般墳場都是由非營利團體墓園協會（Cemetery association）經營，每一協會都是依法向政府登記成立，由董事會（Board of Directors）決定一切，聘請經理負實際責任。一般的經營法是買一塊土地，在上面開闢汽車道或人行道，再將墳地劃分爲若干穴位，編號出售，每一穴位的標準是寬四英尺，長七英尺，剛足夠放一棺木，所以小的墳場可葬數百人，大的可葬數千人或數萬人。賣穴位的收入，絕大部份是存入永久性的基金，以基金生息作爲維修費用，包括草坪與灌溉在內，有的墳場准許立石碑，有的祇能在穴位上平放一塊金屬版以作識別。士德頓鄉間墳場是一座有一百四十五年歷史的大墳場，位於市區中心，准許立石碑，也有豐厚的基金，維修管理沒有問題，比在市外較小的中華墳場（Chinese Cemetery）要好得多，所以復初生病住院後，我就買了幾個穴位備用，不必臨時去找去買，省了許多麻煩。

說到中華墳場，也有一段辛酸史，士德頓（Stockton）市是華人到美國最早的三個立足點之一，排名在舊金山和沙加緬度（Sacramento）之後。老華僑俗稱舊金山爲大埠，沙加緬度爲二埠，士德頓爲三埠，因爲早期華人到美國來打工，先乘船到舊金山上岸，再乘小船分成兩路，一路到沙加緬度內河港下船，另一路到士德頓的內河港下船，然後再走路上山去修建鐵路或採金礦，所以士德頓市在一八五〇年代就有華人定居。鐵路完成後，加州經濟不景氣，失業者衆多，華工備受歧視虐待，華人死後不許葬在美國人的墳場，因爲當時華人都想「落葉歸根」，死後也要把屍骨運回中國家鄉埋葬，所以不在屍身上打防腐劑，美國人認爲太不衛生，不許入葬他們的墳場，因此士德頓的華人組織中華會館，在市郊買了十英畝地，自己建立中華墳場。早期照中國習俗埋葬，然後將屍骨挖出運回中國，後來才改變，依照法定程序處理，作爲華人永久葬身之地，但因規模小，沒有永久性基金保護維修，不時發生問題，所以很多華人都在其他較大較好的墳場買穴位安葬，這也是由「落葉歸根」的舊觀念逐漸改變爲「落地生根」的新觀念的影響所致。

喪事辦完後，我一人獨居。先集中精力，把我的英文著作權力與金錢一書完成付印出版，然後逐漸參與社團活動，恢復正常的退休生活。

說來也奇怪，復初去世後的第三天，住在沙加緬度的中央幹部學校研究部一期老同學孔秋泉兄突然打電話來，說他家裡剛來了一位替他按摩頭部止痛的女士，是從雲南來的，想介紹她來給復初做按摩治療。我說復初已去世三天，現正在辦理喪事，三天後就要出殯，但我可以跟這位女士互通姓名，講幾句話，在簡短的談話中，得知她曾在雲南做過地質工作三十年，退休後移民來美，名叫岑淑芳，並得到她的電話號碼。喪事辦完後，隔了一段時間，我約定去拜訪她，由瑋弟陪我開車到她的工作地點晤面，並同去午餐。剛上車開行時，我想調整自動座椅，按錯了電鈕，坐椅後背竟下降成臥椅形狀，使我很困窘，至今仍被作爲笑料。此後她就開始寫信給我，我多不回信，而是打電話，說她的信已收到了，即使回信也是如此，她很會寫「情書」，而我則對此不敏，但心中對她漸起好感。當時也有朋友想給我介紹女友，我衹是唯唯諾諾，沒有眞的去追求，一九九七年九月，我參加士德頓姊妹市協會的訪問團，訪問中國的姊妹市佛山市，順道遊覽了貴陽、黃果樹瀑布、黔東南苗族自治區首府凱里與桂林，並於訪問完畢後，一人回到昆明和華寧家鄉，探親掃墓。當時也有人介紹已在美國居住的女士，回來後也衹是禮尚往來，虛應故事而已。淑芳猜想我已有了對象，但沒有斷交，反而多了幾次互訪，漸漸有了感情。

淑芳是一九三四年在上海出生，父母是廣東四邑人，所以她會講道地的上海話和廣東話，她從北京地質學院水文地質系畢業後，曾在雲南省地質局擔任地質工程師三十年，經常翻山越嶺，在荒山和少數民族地區走動，與她的前夫過著牛郎織女式的生活，退休和離婚後，由她的父親和妹妹協助申請移民到美國，與大多數中老年移民一樣，必須從頭做起。初來時，在一友人開設的按摩診所工作，學了一些按摩技術，但沒有受過按摩專業訓練，不久就改做其他工作，當過清潔工和保姆，也自己經營過洗衣店，沒有成功。當我認識她時，她是奎阿尼斯社團（Kiwanis Club）設在加州大學戴維斯醫學院附屬醫院旁的病童家屬臨時招待所的管家，並已將她的兩個女兒申請移民到美國，當我們的感情已達到談論婚事時，我鼓勵她去一間設在沙加緬度的按摩治療學校學習，取得了畢業證書，有資格開診所，但沒有去嘗試。

一九九八年八月，我和淑芳參加一個到加拿大洛磯山風景區的旅遊團，為期十天，先遊覽溫哥華市的史坦利公園和北溫哥華的松雞山公園，然後乘車開往最有名的風景區傑士泊國家公園（Jasper National Park），再沿山南下到路易士湖（Lake Louis），沿途有明媚的湖泊和上面有冰河的高山，眞是美不勝收。到本佛市（Banff）後，參觀了國家公園內的硫磺山。次日到盛產石油的阿伯塔（Alberta）省省會加爾蓋里（Calgary），參觀以前奧林匹克（Olympic）冬運會的場地，和全球最大的曲棍球（Hockey）訓練基地。該市有不少華人，在唐人街口還建有一古色古香的中國牌坊，特別醒目。

由加爾蓋里向南行，在進入與美國冰河國家公園相連的水城國家公園（Waterton National Park）前，我們參觀了一很特別的地方，名叫野牛跳崖處（Buffalo Jump），那裡建有一座博物館，館後不遠處，就是以前印第安人追捕野牛，逼其從崖邊跳下跌死或跌傷，以便肢解割肉，這是他們最主要的生活必需品。在白人殖民美洲時，草原上野牛衆多，印第安人取之不盡，生活無虞，後來白人侵佔他們的土地，引起戰爭，白人就把成千上萬的野牛射殺，使印第安人無以爲生，才把他們征服。我們在博物館的食堂裡，還吃到用野牛肉做成的漢堡（Hamburger），味道與牛肉漢堡差不多。

水市國家公園很小，風景區祇有小鎭外的一個湖，但與之相連的美國冰河國家公園則很大，山高谷深，也有湖泊，木林蒼翠，風景甚美，但未看見冰河，大概是幾百年前的冰河遺跡。我們乘坐的旅遊車越過公園內的高山分水嶺，即進入美國蒙塔那州（Montana），再向西行，到達華盛頓州東部重鎭史波肯（Spokane），住了一晚，次日經西雅圖乘飛機回家，結束了一個愉快之旅。

經此次旅遊後，我和淑芳的感情更加深厚，開始論及婚姻大事，當年十二月十七日，女兒請了很多親友，給我做八十大壽，淑芳特別寫了一首詩，刻在精美的銅牌上，名爲「汪理博士八十榮壽誌慶」，詩曰「祝君歲歲慶生辰，福慧修成善美眞，待人誠懇胸襟闊，謙讓儒雅屬斯人，羨君交遊朋情廣，今逢華誕宴佳賓，親朋戚友同申賀，添福添壽更精神」，隨後我們就進行籌辦婚事。

老年人結爲夫妻，比年青人要愼重得多，不僅祇談愛情，還有其他的考慮，因爲雙方都有子女，各有財產，如何處理這些問題，必須深思熟慮，以免將來發生糾紛。我的主張是「先小人而後君子」，也就是說先冷靜商議，一切擺在桌面上，不管是否會使對方有不快感覺，都提出來討論，經雙方協議後，我們就請律師擬就「婚前協議書」（Prenuptial agreement），由雙方簽字，公證立案，並於一九九九年二月二十日在家中舉行結婚儀式，請一法院法官前來證婚，成爲正式夫妻。

婚後一月，我們乘遊輪去巴拿馬運河觀光，等於是度蜜月。三月二十四日，我們飛到美國屬地波托利可（Puerto Rico）島的山旺市（San Juan）上船，當天開航到英國屬地巴哈馬（Bahama）島，上岸僱車，遊覽市區最高峰，可以看到另一英國屬島和一個法國屬島。船在加勒比海（Caribbean Sea）上航行了二天，繞過古巴，到了南美洲委內瑞拉（Venezuela）北的一個荷蘭殖民地克拉所（Curacao）島，參觀當地的水族館。由這些不同國家的殖民地，可以看出以前歐洲國家在海上爭奪殖民地的影子。離開克拉所的第二天，船就開進了舉世聞名的巴拿馬運河，這條國際大運河，是美國千辛萬苦，在以前法國開鑿失敗的基礎上，開山鑿嶺，克服蠻煙瘴氣，從一九〇四年開始，經過十年的建造，到一九一四年才完成，全長約五十英里（約八十公里），有三道閘，六個閘門，中間還有一個蓋東湖（Gatun Lake），是築壩攔截查爾斯河（Charles River）河水而成的，其作用是把雨林中的水積蓄起來，以作調節運河水位之用。每道閘長一千英尺，寬一百一十英尺，每一閘門有兩扇，每扇鐵門高四七到八二英尺不等，寬六五英尺，厚七英尺，重四〇〇噸到七〇〇噸不等。門的兩邊各有一拖車軌道，閘中水深四〇英尺，船進入閘內，即放水或積水，由拖車把船慢慢拖過水閘，船上遊客都擠在兩邊觀看這些過程。我們乘的遊輪很大，通過水閘時，船身距離閘岸衹有一英尺左右，是能通過巴拿馬運河的最大船隻。運河區（Panama Canal Zane）是連接南北美洲的中美洲最窄的地帶，運河的功能是縮短由太平洋到大西洋的航程，輪船由運河口經船閘節節上升，經過頂端的蓋東湖再節節下降到彼方的海平面，比過去必須繞過南美洲最南端的麥哲倫海峽（Strait of Magellan）要少走八千英里，所以經過的貨輪很多，載客遊輪也不少。運河兩岸滿佈熱帶雨林，景色甚佳，不祇船上遊客可以欣賞，陸上遊客也多，當我們的遊輪通過時，有大群陸上遊客還向我們招手歡迎。

遊輪通過巴拿馬運河後，在太平洋海上航行了一天，停靠在哥斯達里加（Costa Rica）的一個海港，我們買票上岸，遊覽該國有名的國家火山公園。這座公園海拔超過八千英尺，旅遊車祇能停在離火山口約一英里的地方，必須步行去參觀，沿途有一種比荷葉還大的闊葉植物，開小粉紅色花，爲其他地方所無。火山口很大，直徑一千三百二十公尺，深三百公尺，曾於一九五五年爆發過，中間積水成一小湖，湖岸邊的一角，還經常有硫磺味很重的水蒸氣噴出。因該國地處地震帶，爲防屋頂坍塌傷人，絕大多數住宅屋頂，都是用鉛鐵皮蓋成的。在山的丘陵上還有許多咖啡種植園，供遊客參觀和品嘗咖啡。

離開哥斯達里加，遊輪又在海上走了一天，到達這次旅遊終點，也是墨西哥最有名的度假勝地阿柯波可（Acapulco）。我們下船後，在一濱海旅館下榻，當時不是度假旺季，遊客不多，有點冷清的感覺。該市的主要賣點有二，一爲海水浴，在廣闊的沙灘上，滿佈用椰子葉覆蓋的遮陽傘，供泳者休息。我們去時，祇有零星的幾個遊客在那裏，其餘都是空蕩蕩的。第二個賣點是高崖跳水表演，在海灣的一角，有一兩邊都是懸崖的小峽灣，表演者站在約百尺高的懸崖頂上，趁海浪沖入時，俯衝跳入水中，此項表演雖名聲很大，觀看的人非常擁擠，但並不驚人，次日我們就乘飛機返回加州。

第二十一章　遨遊四方

蜜月旅遊回來後，淑芳仍回到沙加緬度的工作，衹在週末團聚，直到一九九九年九月，她辭去那份工作，才搬到士德頓市來和我一起生活，也就是我們相互適應和調整生活習慣的開始。像我們這樣高齡的人，幾十年的思想生活習慣，都已定型，各有不同，結爲夫妻，長久生活在一起，很難在短期內溶合，不同的意見，不同的生活習慣，會常引起矛盾。例如一個喜好整潔，一個隨隨便便就會引起爭論、吵吵鬧鬧是難免的事。但是雙方都知道，若要長相廝守，就必須容忍，相互遷就，經過幾年的時間，才得以相安無事，互相關懷，像微波一樣，雖時有小起伏，也不會起大浪，把船推翻沉沒了。

中國有句俗話說：人生七十古來稀，現在我已年屆九十，退休後想做的第一件大事寫書，已於一九九七年把權力與金錢（Power and Money）一書完成出版，以前常參加的社會活動，也已逐漸減少，現在所期待的，就是過一個清靜少爲、健康愉快、隨意旅遊的晚年生活。於是在二〇〇〇年，把位於帝利市（Daly City），常發生頭痛問題的出租房產賣掉，將所得捐出，加在一九九四年已經設立的獎學金基金上，將來一併分配給三所大學，作爲永久性的獎學基金，從此開始，每年皆出國遠遊，以作消遣，並增長見聞。

在我一生當中，旅行是我生活的一個重要組成部份。從十五歲離開農村到昆明去讀高中時開始，即斷斷續續，作短程和長途旅行，從雲南到貴州、四川、陝西，從中國到美國，從美國到其他國家，先先後後，走過了千山萬水，豐富了我的生活，增長了我的見聞，裨益良多。總的來說，我的旅行經驗，可歸納爲四大類，第一類是乘公共汽車，與同車人上路，沿途遙望路旁景色，到站後自尋食堂旅舍，匆匆忙忙，祇是趕路而已。若在某地多停一兩天，參觀當地名勝，則須換乘另一公車，若不趕時間，獨自旅行，可以自由自在，隨意安排，倒也輕鬆愉快，這是我在國內和國外求學時期的旅行經驗。

第二類是自己開車，在週末和假期與家人作短程或長途旅行，按排定的日程，向選定的地點開車直往，日行數十里或數百里，開車開累了，就停下來休息，或找汽車旅館住下。沿途要看什麼，隨時可以停車，到了目的地，要去參觀什麼或作什麼活動，如釣魚、游泳、爬山、划船，或去遊樂場所，皆可隨時隨地決定，沒有交通問題，可以盡情享受，這是我在美國工作期間的旅遊方式。加州的渡假聖地如太浩湖（Lake Taho）、三他克魯茲（Santa Cruz）、蒙特列（Monterey）、南加州的迪士尼遊樂園（Disneyland）、聖地牙哥動物園（San Diego Zoo）、海洋館（Marinland）、海洋世界（Marin World）和全球聞名的優山美地國家公園（Yosemite National Park）等，都是我們去過一次或多次的地方。

此外還有過幾次長途旅行，一九六二年世界貿易博覽會在華盛頓州的西雅圖開幕，我們開車，沿兩旁是參天大樹的紅木公路（Redwood Highway）北上去參觀，並在俄勒岡州的海邊嘗試深海釣魚。一九六六年夏，我們在兩週內共開了近兩千英里的車程，遊覽了愛達華州，原來是大火山口的月球坑國家紀念園（Grater of the Moon National Monument）、黃石公園、特當公園（Great Teton）、科羅拉多州的洛磯山國家公園、美國空軍官校，和原來是印地安人懸崖聚居地的麥沙維地國家紀念園（Mesa Verde National Monument）、阿利桑那州的印地安人保留區、石化森林（Petrified Forest），和聞名全球的大峽谷（Grand Canyou）、內華達州的胡佛大水壩（Hoover Dam）和賭城拉斯維加斯，並順道回到波德市（Boulder）的母校科羅拉多大學，拜訪恩師里奇邁爾博士（Dr. Leo C. Kiethmayer）夫婦、美籍義母安娜羅德（Anna Rold）女士，和住在丹佛市的中西友人，是一次特別值得懷念的旅程。

我們全家的最後一次長途駕車旅行，是在一九七二年的夏季，同行者有時在太平洋大學（University of the Pacific）任教的陳興樂博士（Dr. Edwin Ding）夫婦，目的地是加拿大西海岸的溫哥華（Vancouver）和維多利亞（Victoria）。我們沿第五號國道北上，經過西雅圖，由小路穿過國界，先到距溫哥華東邊約八十英里的哈利遜溫泉（Harrison Hot Spring），這是一個小鎮，位於哈利遜湖畔，有很好的溫泉，除洗溫泉澡外，還可買泉水作飲料。由該地向西行，公路旁林木薈萃，綠茵遍地，很覺清新。在溫哥華我們參觀了史坦利公園和唐人街，然後乘輪渡到維多利亞住下，遊覽當地著名的布奇花園（Butchart Garden）和其他景點，再乘輪渡到海峽南岸的安琪兒港（Port of Angels），向南開車回家。

第三類，是參加旅行社或旅遊公司主辦的陸上旅遊團，交付定額的費用，交通吃住和參觀門票，都由旅行社或公司全包，自己不必費心，但給導遊和司機的小費，則須自己另付。這種旅遊方式，好處是方便省事，缺點是一切必須按照時間集體活動，在每站的停留時間很短，參觀祇能走馬看花，匆匆忙忙，經常在趕時間，而且每到一站，必須打開和收拾行李，相當費力，這是我退休後採取的旅遊方式之一。其實早在一九七一年七月，我和亡妻復初就帶著女兒參加了加州州政府職員協會主辦的歐洲十國旅遊團，由一德國籍導遊全程陪同，途中他給我們介紹各國風土民俗，並講了許多趣聞。每到一停留站，則另僱當地導遊率團觀光，對各種古跡景點作詳細解說。從英國的倫敦開始，經過荷蘭的阿姆斯特丹和海牙，德國的波昂，萊茵河與法蘭克佛，瑞士的巴索和魯森，小國利新斯坦，奧地利的因斯布魯克，意大利的威尼斯，佛羅棱斯，羅馬，皮卡利和披薩，小國摩拿哥，法國的尼斯、坎城、里昂與巴黎，最後一站是比利時的首府布魯塞爾，然後飛回美國。尤其難得的是，飛機在洛杉磯出發前發生故障，延遲了兩個多小時，機師說他須改變航線，不在紐約加油，而要飛經北極圈，在冰島加油，因此多到了一國，有緣觀賞北冰洋上空的夜光和冰島的地貌，是一意外收獲。由於這次團體旅遊的良好印象，我退休後，就繼續參加幾個陸上旅遊團。

一九九九年九月中旬，我和淑芳參加到中國黃山長江三峽和重慶昆明的旅遊團，團員大多數是士德頓市的華人，飛到上海時，已是午夜，在旅館裡祇睡了五小時，就得起床，乘飛機到黃山市，下午即去參觀我小學時間就知道的胡開文墨錠的製造廠，和賣文具與黃山特產的市街。次日去參觀潛口民宅公園，那是以明代古民居組成的景點，在裡面我發現了當地汪氏家族的古宅，是一意外收獲。第三天我們上黃山，時值天雨，由山上的纜車站到我們下榻的西海飯店，約一里的山路，溼滑難行，相當辛苦，整座黃山都籠罩在雲霧裡，一點風景也沒看到，很是失望。據說黃山多雨，平均每三天中就有兩天下雨，我們來得不湊巧。下山後，乘飛機到漢口，登上美裔的維多利亞號遊輪，船雖很小，祇能住一百多人，但設備尚可。到了湖南的洞庭湖口，我們上岸參觀有名的岳陽樓，親身體驗了范仲淹名作「岳陽樓記」的意境。由岳陽向西航，過了尚未完工的三峽大壩，進入三峽，沿途觀賞長江三峽和小三峽風光與名勝古蹟，確是壯觀。李白的有名詩句：「朝辭白帝彩雲間，千里江陵一日還，兩岸猿聲啼不住，輕舟已過萬重山」，對三峽的景色描寫得很好，但在三峽內已看不到猿猴，祇有在小三峽內有時可以看見它們的蹤影。在重慶下船後，到市區參觀山城的市街與廣場，建設很現代化，與抗日戰爭期間我在南岸小溫泉唸大學時代的重慶相比，已有天壤之別。由重慶飛到昆明，與前幾次一樣，與親友歡聚，並去母親墳上掃墓，然後離開昆明，經香港飛回美國。

二〇〇〇年十一月下旬到十二月上旬，我們參加華人旅行社合辦的「名人」紐西蘭和澳洲遊，這是新奇景觀最多的一次旅遊。由舊金山出發，經過十五小時的航程，抵達紐西蘭最大的城市奧克蘭（Auckland）。紐西蘭有兩個大島，南島和北島，奧克蘭是在北島的北端，而首府威靈頓（Willington）則在北島的最南端，隔海與南島相望，我們的旅遊路線，是由奧克蘭到威靈頓，再回到奧克蘭。在奧克蘭參觀了迷人的海港，海底世界水族館，及其他景觀，然後乘旅遊車出發，司機是紐西蘭的土著毛利（Maori）人，對遊客很親善，沿途參觀的主要景點有維多摩的螢火蟲洞，這是全世界僅有的奇觀，但我們乘小舟進入洞內，祇看見很少幾個在岩石上發暗光的螢火蟲，非常失望。隨著去參觀毛利族文化村，看了它們的手工藝及歷史文物，毛利人和夏威夷的土著同屬於波利尼西亞族，所以他們的手工藝和舞蹈草裙舞也和夏威夷土著的很類似。紐西蘭除高山外，遍地綠草如茵，牛羊成群，尤其羊特別多，我們特去參觀一展覽館，有各種各樣大小不同的羊種，看他們表演擠攬羊奶和剪羊毛，非常快捷。也看見了紐西蘭特有的奇異鳥，黑色，和中國的黃母雞一般大，不會飛，白天躲在黑暗的巢裡，途中導遊還特地帶我們去中國人開的一間羊皮製品店購買皮貨，最後到了威靈頓。

威靈頓雖然是紐西蘭的首府，城市並不繁華，這一帶是火山爆發過的地區，近郊有一座名叫維多利亞的小山，我們乘纜車到山頂，俯瞰市區，還可看見以前爆發過的火山口大坑。從威靈頓到奧克蘭的回程，我們沒有走原來的公路，看到的景觀也較多，其中特別值得一提的，是去參觀一台灣商人開設的野鹿製品廠，裡面設有一小電影院，向僱客以畫面介紹它的歷史與產品，很有趣味。據說紐西蘭草原繁茂，野鹿很多，政府初時限制獵殺，但因野鹿繁殖太快，爲害農作物，極欲加以克制，被台灣的商人獲悉，他知道鹿茸、鹿筋等在中國皆爲名品，鹿肉（Venison）在歐美也是名菜，於是向紐西蘭政府建議設廠，把照計劃獵殺的野鹿加工，製成產品銷售，向政府繳納稅費，得到了許可與專利，現已成爲頗具規模的鹿茸、鹿肉廠商，殊堪欽佩。

紐西蘭北島的中央是比較活躍的火山帶，有類似美國黃石公園的滾水噴泉（Geyser），硫磺泉和很熱的石階，地熱特別豐富，有我們初次看見的地熱發電廠，此外還有一名叫淘泊湖（Lake Taupo）的大淡水湖，據信是萬年前火山爆發後形成的，附近的瀑布也很別緻。我們在羅德魯阿（Rotorua）小城住的旅館，有溫泉可供沐浴，晚上我們在那裡看毛利人的土風舞和享用他們的大餐，他們歡迎我們時，用鼻子和我們的鼻子相碰，很是有趣。

沿途的另一奇觀是淘泊本基跳（Taup Bungy Plunge）。在河岸的高崖上建有一平台，延伸到河面上空，平台頂端裝有很長且粗的韌帶繩，去跳的人付費後，工作人員把韌帶繩綑在他（她）的兩足上，信號一發，就向河面跳下，約四十尺之高，快到水面時，韌帶繩先張後縮，把人向上提升，如是升降幾次，最後落到水面，由小船解繩送至岸邊，我們團員中，曾有兩人大膽參加這項冒險活動。

回到奧克蘭後的次日，我們乘飛機到達澳洲的墨爾本市（Melbourne），參觀市內的商業區、維多利亞議會廳，和英國著名航海家庫克船長（Captain Cook）的故居，夜間到菲利普島（Phillip Island）觀看小企鵝（Penguin）出海歸巢的奇景。大家在類似露天劇院的觀看台上，屏息靜坐，等待企鵝的出現，在微弱的燈光下，祇見小企鵝逐個從海水中跳出，經過沙灘，慢慢走入岸邊灌木裡，回到它們的巢穴。次日我們到市外避暑勝地丹地農山（Mt. Dandenong）去遊覽，乘坐古老的蒸汽火車，在森林與峽谷間巡遊，觀賞美景。隨後再到一山中小公園，園內有很多彩色鮮豔的小鸚鵡，會飛向遊人，停在遊客手掌上肩上和頭上，非常可愛。

離開墨爾本，我們乘飛機到達澳洲東北角大堡礁（Great Barrier Reef）岸邊的克恩市（Cairns），住進頗有雨林味的旅館。當天下午，乘名叫Duck（鴨）的水陸兩用軍車，開進熱帶雨林保護區，在叢林小道和水池中觀看雨林風光，寂靜深幽，給人一種陰暗的感覺。次日乘登山吊車在雨林的上空經過，俯瞰充滿神秘色彩的廣大原始雨林，隨後又去遊覽土著公園，觀看土著表演他們特有的木筒樂器演奏，和鑽木生火的技能，還讓我們試擲他們的鏢桿與回歸木曲尺（boomerang），甚爲有趣。嗣又去參觀無尾熊和野生動物園（Koala & Wildlife Park），其中有小無尾熊、袋鼠、鱷魚、鴕鳥等澳洲特有的野生動物，我們買了它們喜愛的食物餵它們，其後在一小食店內，我們還品嚐了用袋鼠肉和鴕鳥肉做的漢堡包，和用牛肉做的沒有多少區別。

大堡礁全長數百里，都在水面下，由珊瑚形成，我們花了一整天的時間，乘小客船出海，到大堡礁中的一個水上船塢，觀看海景，也可潛水游泳，我們在那裡買票坐一潛水玻璃小船，在珊瑚群中慢慢開行，觀賞各種形狀不同的珊瑚、熱帶魚和其他海中生物，讓我們大開眼界。

這次旅遊的最後一站是澳洲最大的城市悉尼（Sydney），它最廣爲人知的地標，是位於海港中外型像幾層貝殼的歌劇院，和海港大橋。歌劇院的建築確實特殊，我們去時沒有開放供人參觀，祇在四周看了一番。次日，我們乘車去遊覽市外的藍山（Blue Mountain）風景區，遠眺有名的三姊妹石崖（Three Sisters Rock），下山後，又去參觀當地的野生動物園，裡面有很多小無尾熊，我們還抱了一隻照相，以作紀念。

旅遊團離開後，我們在悉尼多住了一天，和住在當地的淑芳大姊黃寶如及其家人晤聚，也另與中央幹校研究部的老同學張遵權夫婦晤面，承他們分別在悉尼的唐人街設筵款待，幾十年未見面，天涯地角，久別重逢，至感親切，與他們告別後，在悉尼上飛機，經約十五小時的航程，返回美國。

另一陸上長途旅遊，是參加二〇〇一年七月下旬到八月上旬的北歐五國旅遊團，到芬蘭、丹麥、挪威、瑞典與俄羅斯觀光，由一女導遊全程陪同，由舊金山啓程，經過十四小時的航程，到達芬蘭的首都赫爾辛基。芬蘭是個小國，政府大廈並不宏偉，與商業大廈相似，但在政府廉潔和工作效率方面，全世界排名第一。稅率雖很高，但社會福利也很好，從生到死都有，貧富懸殊不大。全境森林密茂，木材紙漿是主要產品，世界最大的手機製造公司諾基亞（Nokia）就在芬蘭，當地能說流利中國話的導遊說，該公司是芬蘭最大的僱主。

在赫爾辛基祇住了一晚，次日即飛抵俄國的第二大城聖彼得堡（St. Petersburg），它是沙皇時代的首都，在共產黨統治時期，曾改名列寧格勒，蘇聯解體後，又改回舊名，古蹟不少。在尼瓦河（Neva River）畔的沙皇冬宮，現改稱赫米特吉（Hermetage）博物館，內部充滿沙皇時代器物，堂皇富麗，與法國的凡爾賽宮和英國的溫莎古堡相較，並不遜色，當晚我們有幸在尼古拉皇宮宴會廳享受有名的魚子醬大餐，並在皇宮劇院觀看俄羅斯民族舞表演。第二天我們乘車到聖彼得堡郊外去參觀沙皇的夏宮，這個號稱全世界最美的夏宮，靠近芬蘭灣，佔地甚廣，由十幾個宮殿組成，宮外小山坡上的御花園，有二百多個金色雕像，和六十多個噴泉，由頂端向下俯瞰，非常壯觀，可以想像當年沙皇及其家族的豪華生活。

從聖彼得堡到莫斯科不到兩小時的航程，我們乘車從飛機場到莫斯科市區，也走了近兩小時，沿途看見許多倒下或斷枝的大小樹木，和落在地上的廣告牌，才知道前一天莫斯科曾發生大風暴，據說這是很少有的。在路上很少看見村落和民房，但快到莫斯科的時候，則看見多座大住宅社區，密集的高樓群，在廣闊的荒野中矗立，顯然這是前蘇聯集體化的產物。

莫斯科是座很大的城市，市內有幾座小山坵，最高的建築物是莫斯科大學的大樓，莫斯科河在市內流過，家喻戶曉的克姆林宮，就建在莫斯科河畔。它是一座城堡，有城牆圍繞，有名的紅場（Red Square）就在裡面，其實紅場的面積並不很大，尚不如中國的天安門廣場。蘇聯時代號稱最大的購物商場「剛姆百貨店」（Gum Department Store）也在裡面，其規模也不過和美國一般的室內商場差不多。但克姆林宮從蘇聯時期到現在，都是權力中心所在地，以前史大林和現在普亭總統的辦公廳就在裡面，但他們都不住在這裡，據說史大林把所有高級黨政官員都安置住在距克姆林宮很近的一座大公寓內，有暗道可通克姆林宮，每套公寓內都裝有竊聽器，因此史大林可隨時掌握他們的言行。

莫斯科的另一奇觀是地鐵站，建築華麗，候車台旁的長廊，是宮殿式建築，頂端有漂亮的大吊燈，牆上有精美壁畫，地面光滑清潔，確是名不虛傳，據說每個地鐵站的設計都不一樣，爲其他國家所無，堪稱世界第一。

離開莫斯科，我們飛到丹麥的首都哥本哈根。丹麥是由一個半島和一些小島組成，地勢平坦，是以農牧爲主的國家，它出產的火腿、乳酪製品和奶油餅乾，馳名遠近。我們參觀的主要景點有二，其一爲帝伏里（Tivoli）遊樂園，但其規模與遊樂設備，遠不及美國的迪士尼遊樂園，其二爲人人樂道的美人魚景觀，其實祇是建在海港邊水中的一座美人魚雕像，體積不大，看了令人失望。

我們由哥本哈根乘輪渡到挪威的首都奧斯陸，這裡有一座佔地很廣的偉格蘭公園，園內有很多大型藝術雕刻，表達人生百態，是挪威著名雕刻藝術家偉格蘭（Gustav Vigeland）長達四十年的精心作品。另有著名的維京（Viking）船博物館和康帝基（Kontiki）博物館，也很值得一看，維京人是古代歐洲的著名海盜，他們駕著形狀特殊的維京船，在歐洲沿海到處搶劫，但他們也是最富冒險精神的航海家，在哥倫布發現美洲之前，他們就已到達格林蘭和北美洲。挪威是他們的主要根據地，丹麥、瑞典和芬蘭也有他們的據點，我們在芬蘭赫爾辛基參觀時的當地導遊還自嘲說，他們芬蘭人是海盜和蒙古人的後裔。

挪威是西歐最靠近北極的國家，多雲多雨，山地貧瘠，沿北大西洋海岸，有很多峽灣，是古代冰河的遺跡。我們從奧斯陸出發，乘車去西海岸邊的挪威第二大城卑根（Bergen），中途在山谷中的滑雪勝地蓋羅（Geilo）住了一晚，然後經過草木不生的寒冷高原，和兩邊懸崖高聳、谷深水藍的哈達吉峽灣（Hardanger Fiords），到達過去曾是挪威首府的卑根，它是一個不凍港，也是北歐的最大漁港，以前德國漁商遺留下來的老商店和住宅，仍保留完好，供人參觀。在市區北的小山坡上，還有一些以前維京人的住宅，都是小木屋，屋頂是平的，用泥土築成，長著約一尺高的草，據說這種草坪屋頂可以保暖。

在卑根住了一晚，次日乘車經過一湖邊小城，和路旁的清泉飛瀑，到了一峽灣碼頭，在雨中上船，漫遊世界最長的峽灣，進入峰巒起伏的山區，兩岸陡崖千丈，直達積雪的山頂。在稍爲開闊的岸邊，則有風景如畫的小村莊，令人有進入仙境的感覺，最後到了峽灣末端的宋達市（Songdal）下榻，這是我們在挪威旅遊的最後一站，次晨即乘車返回奧斯陸，繼續往東行，向瑞典的首都斯德哥爾摩前進。

由奧斯陸到斯德哥爾摩的公路，穿過許多森林，偶爾可看見一塊田地和上面的農舍，到了兩國交界處，則有一過界商店，裡面漆有一條白線，就是兩國的國界，我和淑芳各站在一方，與店員合照了一張相，以作紀念。

斯德哥爾摩位於一個湖口，歷史悠久，古城遺跡和林木公園很多，我們參觀了格利斯霍摩古堡（Castle of Gripsholms）和著名的諾貝爾獎頒獎宴會廳。瑞典是一個君主立憲國家，和英國一樣，國王雖無實權，仍爲一國的元首，皇宮有守衛的馬隊，我們曾去參觀他們換班時舉行的馬隊遊行儀式，和英國倫敦白金漢宮衛隊換班時的衛隊遊行，儀式差不多，但規模較小。在斯德哥爾摩參觀結束，即乘六萬噸的遊輪前往赫爾辛基，次晨到達，再換乘飛機飛回美國。

最近一次我們參加陸上旅遊團，是二〇〇五年十月的中國北京西安上海八天遊，這次旅遊的主要目的，是率領女兒女婿和外孫，在旅遊團結束後，回到雲南昆明和我的出生地華寧去祭祖探親，這是他們第一次到中國，對一切都很感興趣，對我而言則是舊地重遊，而且年邁行走比較吃力，因此每到一參觀景點，我多半在休息室或在旅遊巴士上等候他們。到了昆明，他們去石林西山等地觀光，我和淑芳則留在城內與親友晤面。我們在昆明住了四晚，其中一天回華寧探親祭祖。以前華寧沒有公路，從上村老家到昆明，要兩天行程，現在有高速公路，祇需二小時即可抵達，因此，我們在華寧有很多時間從事各種活動，最主要的是去墳場掃墓，在華寧汪氏家族的始祖汪胤公墓，我祖父母牌位及我先父墓前拜祭。女兒是美國生長，女婿是德國裔的美國人，外孫祇有十一歲，但他們也跟隨我們磕頭拜祭，很是難得。

其次是參觀華寧一中和上村小學，華寧一中的前身是華寧縣中，是一初級中學，我就是華寧縣中第二班的畢業生，當時校舍很老舊，學生人數也少，我的一班祇有三十多人，現在的華寧一中則是一完全中學，有初中部和高中部，學生有一千多人，新的校園是二〇〇二年才建成，有多棟西式大樓和寬廣的運動場，比美國一般的中學校園漂亮得多。二〇〇五年十月四日，是華寧一中的八十週年，特舉辦慶祝會，曾事先邀我參加，但因我們預定的行程遲了幾天，未能趕上慶會。我們去參觀時，由崔庶慶校長帶領參觀書法展覽室和圖書館，在圖書館內，第一次看見我一九九七年回華寧時捐贈的圖書和我的照片，他們編印的紀念冊「華寧一中」，也把我的照片登在第一位，我看了很覺榮幸。

現在的上村小學，也和我過去唸小學一年級時的上村小學完全不一樣，那時的上村小學，是設在上村寺的一個廂房內，從一年級到四年級，都同在一間教室裡，祇有一個老師，學生人數不到三十人，現在的上村小學則是有六個教室的三層樓房，六個年級班各有一位教師，學生總數一百多人，在開工建築前，我曾將政府歸還的祖房折價捐出，作爲建築費，因此在樓的前方牆壁上，還釘上一銅牌，表揚我的善舉，這次我回校參觀，也捐了一套小學文庫給該校，以作紀念。

這次回到故鄉，晤見了許多親戚，還特別邀前妻關柏齡來晤面和參加宴會，在與當地人見面時，不禁想到賀知章的詩句：「少小離家老大回，鄉音無改鬢毛衰，孩童相見不相識，笑問客從何處來。」，而有滄桑之感，一直留連到天黑，才取道回昆明。

在昆明的第三天，與過去每次到昆明一樣，率領在昆明所有親人，去亡母墓前祭拜，行禮如儀，並宴請親友，雖然平日甚少通訊，但一見如故，倍感親熱，次日即告別昆明，飛到香港。

這是我第五次到香港，除飛機場已從舊的啓德機場遷到現在的赤獵角機場，距市區較遠外，街道變化很少，但因人口增加，較以前更爲擁擠，地窄人稠，値得參觀的景點不多，但它是一個自由港，沒有關稅和消費稅，是購物者的天堂，遊客特多，也是最好的食肆，高檔低檔，應有盡有，可以大快朶頤，市容看起來不耀眼。可是，香港特區的政府，承襲英國殖民時期留下的管理方式和人事制度，在廉潔與效率方面，名列世界前茅，雖然不是理想的居住地，卻是商貿的好城市，我們和其他遊客一樣，也在此湊擠一番，然後啓程回美。

我們的第四種旅遊方式，是乘遊輪觀光，與陸上旅遊團相較，遊輪旅費要貴很多，但有幾個優點。第一，陸上旅遊團要集體活動，時間緊湊，每到一站，最多住兩三天，必須常搬行李，頗不方便，乘遊輪則祇須上船時和下船時各搬一次行李即可，上船後，即可自由活動，不受任何限制。第二，遊輪上膳食供應豐富，最小的遊輪也有一個大餐廳，和一兩個零食檯，早餐和午餐，大多數遊客都到餐廳吃自助餐，在衆多的食品中，自己可自由選擇喜愛的食品。晚餐則是先排好座位，定時的宴會，旅客必須穿著整齊，有穿制服的侍者悉心招待，自己點菜，每天餐單不同，有各種風味名菜，在船長的歡迎宴和送別宴上，更是考究。除三餐外，若想吃點零食，可到零食檯去小吃，全天供應，這是遊輪的特點。第三，遊輪的客艙和旅館的客房一樣，絕大多數是兩人同住一客艙，設備與大旅館的客房相似，祇不過面積較小，客艙有許多等級，有內艙與外艙之分，內艙沒有窗子，全靠燈光，外艙則有窗子，可以看海景，所以比較舒適，不管是內艙或外艙，每天都有專責服務員做清潔衛生，整理床被，其服務的周到，與高級旅店相比，有過之而無不及。第四，遊輪上有各種娛樂與休閒設備，如游泳池、健身房、賭場、酒吧、電影院、圖書館、零售店、照相館等等，不愁沒有地方去消遣。第五，遊輪到預訂的海港停靠時，有充分時間供遊客上岸觀光，若想到較遠的名勝古蹟去旅遊，可在船上買票，坐旅行巴士前往，旅客可自己選擇，若不想下船，則留在船上休息，這對年長遊客來說，特別適合。但以上這些優點也有代價，那就是要付很高的小費，多年前我乘過的遊輪，船公司建議每位旅客給客艙服務員二美元，共計每天六美元，並提供信封給旅客，裝美金現鈔直接付給。但最近幾年，船公司則在旅客的帳戶上，每人每天加收小費十美元，不過旅客可以去交涉改變，這是遊輪的特殊情況，不可不知。

我第一次乘遊輪，是一九八一年七月和復初一起到阿拉斯加觀光，因爲沒有經驗，依照友人建議，訂了內艙，以爲艙房祇作睡覺及盥洗之用而已，平時可到船上其他地方行走，休息，或觀望海景。但住進後，始覺沒有窗子和自然光線，有一種閉塞的感覺，所以後來我乘遊輪，都訂外艙，尤其希望訂到中層靠近船中心的外艙，因爲那個地區在遊輪航行時，若遇到大風浪，比較平穩，可以減少暈船的苦楚。

我和淑芳於一九九九年結婚後的蜜月旅行，就是乘遊輪經加勒比海和巴拿馬運河到墨西哥度過，已如前述。此後還有多次和她乘遊輪到不同地區觀光，二〇〇〇年五月，我們到地中海東部，乘文藝復興號遊輪（Renaissance No.4），在希臘與土耳其沿海島嶼與城市參觀名勝古蹟，先從舊金山飛到希臘的首都雅典，它是歐洲文明的發源地，古蹟特多。我們在雅典住了兩天，第一天參觀市內有名的古衛城（Acropoli），位於一山崗上，裡面有雅典人最崇拜的雅典娜女神（Athena）的神廟（Parthenon），大約建於公元前五世紀，它的石柱石樑，現仍屹立不動，供人憑弔。其餘古建築皆已倒塌，祇有斷石殘瓦。從崗頂向下瞭望，雅典全城盡在眼中，山崗坡下古羅馬的露天劇場，也還保持原樣。接著又去參觀奧林匹克運動場，希臘是世界奧林匹克運動會的發源地，這個運動場，就是奧林匹克的永久標誌。

第二天，我們去參觀距雅典約一百英里名叫德爾菲（Delphi）的古希臘城，古希臘有許多城市國家（City States），德爾菲是其中之一，但它是古希臘的宗教中心，建有阿波洛

（Apollo）神的神殿，希臘人若有大舉，如結盟或聯合抵抗波斯的進攻等，都要到這神殿來求神諭（等於求簽），以作決定，所以這個城市國家具有盟主的地位，許多其他城市國家，都派有代表常住在這裡。它是建在一山邊斜坡上，易守難攻，城區不大，但也建有露天劇場，狹窄而坡陡的街道兩側，佈滿了昔日房舍的殘骸，據說因該城地勢險要，安全可靠，其他城市國家，都把他們的金銀財寶存在這裡，全世界的第一間銀行，就是在這裡開設的。

次晨，我們登上遊輪，向愛琴海的南端開航，第一站是山托里尼（Santorini），它是一個小島，岸邊的山城，建在直立的山岩頂上，我們得先乘小輪船到岸邊，再乘纜車上去。城區不大，街道狹窄，我和淑芳沿崖頂邊的小巷走了一段路，巷的一側是住宅，另一側則是建在岩邊的石牆，向牆外遠眺，可以看見不遠處的一個無人居住的小島，已落到水面。據說，這是火山很活躍的地區，那個小島，就是因火山爆發而下沉的。並有傳說，山托里尼所在的小島，就是古代的阿特蘭地（Atlauti），因大地震而下沉，山托里尼的峭崖，就是島的一端下沉時造成的。

由山托里尼向東南開航，到了羅德斯島（Rodhos）的羅德城，這是中古時代十字軍東征時的大本營，歐洲騎士（Knights）所建的堡壘，仍保持完好。該城有新城與舊城之分，我們到舊城參觀建在山岡上的古衛城（Acropolis）和裡面的古教堂，也走看了兩旁都是石磚古宅的狹窄街道，有一種人去樓空的感覺。回到船上繼續向北開航，到了土耳其的庫沙打西港（Kusadasi）上岸，乘車去伊菲沙（Ephesus）參觀古羅馬城的遺跡。這座城旁，原有一河通向海港，希臘的亞歷山大大帝東征時，曾在河岸山邊建有一鎮守城，但現在該城與河流皆已消失，祇有羅馬城的衆多遺蹟，可以參觀，它有一條石砌主街，兩旁有很多石建築物，皆已倒塌，祇留下石柱石樑和石階，其中一棟據說是羅馬人的妓院。在另一建築內，羅馬人用石頭建的一排馬桶，現仍完好，供遊客坐在那裡休息，街道末端，靠近小山坡處，有一古羅馬教堂的遺址，由地上現存的高聳石柱和石磚石塊來推斷，應是一相當宏偉的教堂。

離開庫沙打西港向北行，經過一天多航程，通過由地中海通往黑海的達答尼爾海峽，到了土耳其第一大城伊斯坦堡（Istanbul），這是遊輪的最後一站，下船後，住進船公司的旅館，遊覽當地的名勝古蹟。第一個參觀的是室內大市場，在凸形的屋頂下，有好幾條主街小巷，充滿了售賣各種手飾、衣服、玩具和紀念品的商店，尤以售賣金銀首飾的那條街最爲華麗。其次去參觀建在博思普魯斯峽（Bosperus Strait）岸邊金號角（Golden Horn）上的托卡彼宮（Topkapi Palace），並於當日夜間購票去參加觀賞埃及肚皮舞的晚宴，別有一番風味。

博思普魯斯峽是由馬拉馬拉海（Maramara Sea）通往黑海的水道，約有一英里寬，伊斯坦堡市被它分隔成兩部份，西城區在歐洲大陸上，是土耳其的商貿重鎮，東城區在亞細亞半島上，屬於亞洲，是伊斯坦堡的住宅區，在水峽的高空上建有鐵橋，以通往來，也是橫跨歐亞兩洲的大橋，我們乘遊艇，在峽內觀賞兩岸風光，岸邊建有很多近水別墅，紅瓦白牆，甚爲美觀。

伊斯坦堡最突出的地標，是四角各有一高聳尖塔的藍清眞寺（Blue Mosgue），它也許是世界上最大的清真寺，有幾層樓高，窗子都是人工手製的五彩玻璃，內部陳設古香古色，這是信奉回教的土耳其人在奧托曼帝國統治西亞時期的傑作。另外我們也參觀了奧托曼帝國時期所建的砲台，在博思普魯斯峽的兩岸相對處，各建有一座砲台，我們參觀的是在西邊的那一座，是建在坡地上，範圍不小，有圍牆和多座堡壘，以前用過的十多門大火藥炮，還陳列在場地上供人參觀。

我們在市郊馬拉馬拉海邊的旅館住了兩晚，即乘飛機返回加州。

二〇〇一年三月與四月之交，我們到南太平洋法國殖民地大溪地（Tahiti）及附近島嶼旅遊。這次乘坐的遊輪與上次到希臘土耳其乘坐的是同一條船（遊輪公司的輪船在不同的季節，調到不同地區服役），由於我是老乘客，又是超過八十歲的老人，所以遊輪公司特別給我優待，在飛往大溪地的飛機上，把我從經濟艙（三等艙）換到商業艙（business Class），也就是二等艙，不論座位和膳食，都比經濟艙好得多。飛到大溪地的首府帕匹耶提（Papeete）上船，夜間下船參觀夜市，次日僱車作環島遊，並參觀法國著名畫家高寬的畫作陳列館（Gauguin Museum），他以前的住宅，就在展覽室後面，據說他看中了大溪地，特從法國遠道來此，與一祇十三歲的土著女孩結婚，一直住到他死。

南太平洋佈滿了很多島嶼，以前都被列強瓜分佔領作殖民地，這些島嶼的原住民，都是波利尼西亞人。據說，他們的祖先是從亞洲來的，善於航海，架小木船在群島中尋找安家之地，最北到夏威夷，最南到紐西蘭（毛利人），都是他們的天下。他們膚色棕黑，體格粗壯，能歌善舞，樂天知命，但也各島獨立，互不相屬，到這些島上謀生的華人，很多和土著通婚，看起來和土著差不多，多數經營小生意，和他們交談後，始知他們是華人。

遊輪經過的島嶼，除大溪地外，還有摩列阿（Moorea）、華亥尼（Huahine）、列埃阿提阿（Raiatea）和波拉波拉（Bora Bora）等四島，各有它們的特色。摩列阿島上有幾個小山峰，山峰間有種植菠蘿蜜（Pineapple）的園地，有觀望海港景色的瞭望站，更特別的是建在樹林中的露天神壇，看起來祇是用石頭堆砌而成的平台，但它是以前當地土著把捉到的敵人砍頭祭神的地方。另外，在海岸邊沙灘上開設的水上旅館也很特別，陸地上建有多座草屋度假房，在沙灘上建有伸入淺水的木板走道，走道的一旁建有高架草屋度假房，每座小度假房皆有吊梯，房客可從吊梯爬下到海水中游泳，這是我第一次看到的水上旅館。在華亥尼島，我們看到當地土著的一個特別風俗，把墳墓建在他們的住宅旁，好像活人和死人仍共同住在一處，也就在這一島上，我們看到極富盛名的香料凡尼拉（Vanila）的種植和提煉過程。更值得一提的是我們乘小渡船去參觀黑珍珠養殖場，這裡和附近的島嶼是黑珍珠的主要產地，大概是這裡的海水含有特別的礦物質，使珍珠變成黑色。黑珍珠要比白珍珠貴幾倍，所以在這區域的養殖場不少，我們去參觀時，養珠人把養珠過程表演給我們看，他把一扁蚌的蚌殼用小刀撬開，然後把預先已做好的小粒骨質植入蚌肉的某一部位，讓蚌殼復原，掛在繩子上，放入水中，經過好幾年，蚌因受刺激而產生粘液，將植入的小粒層層包裹，日久長大，便成珍珠。由於粘液的分佈不匀，要得到一棵圓滑色彩鮮亮的黑珍珠，機率很低，所以黑珍珠的等級很多，由專家鑑定，按體積大小、形狀、色彩等評價售賣，形狀不整、色彩不好的次貨，在一些小雜貨店裡都可買到，是遊客最喜歡購買的禮品。

列埃阿提阿島上的小城烏突洛阿（Uturoa），約有人口三千五百，祇有一條主街，街上的大小商店，多數是華人（客家人）經營的，在小城的另一角，則有許多類似圓形小亭子，用草舖蓋的小商店，由土著經營、售賣他們的手工藝禮品。我們參觀了海岸邊的露天水族塘，塘內有當地海中常見的大烏龜和能刺死人，但已被除刺的魔鬼魚（Stingray），供遊客捕捉觀賞，我和淑芳都下水參加此一遊戲，頗爲有趣。當日船公司特在沙灘上準備野餐，供旅客品嘗當地人的食品，夜間並請當地的女孩舞蹈團到船上跳草裙舞給我們觀賞。

波拉波拉是遊輪的最後一站，這裡也建有幾座水上旅館，我們除僱車作環島遊，還參觀當地土著的手工染印廠，把女用披肩裙子等衣料，放在塗有黃紅綠染料的雕花木板上，壓印成富有當地風情的產品。此外我和淑芳另購門票，乘小舟到淺海中的一座觀光平台，換乘潛水玻璃船，在滿佈珊瑚礁的海灣中巡遊，觀看成群的熱帶魚，和在海底沙土上亮相的水生動物如海參之類，在此玩了一天，即乘輪返回大溪地，再換乘飛機返回美國。

二〇〇二年，我們參加了兩次遊輪旅行，一次是在六月下旬，由舊金山啓程，去阿拉斯加，這是我第二次乘遊輪去阿拉斯加，所不同的是，上次先乘飛機到安科里奇，再上船南行，到溫哥華下船，飛回美國，這次則是由舊金山去，仍回到舊金山，在船上多住了三天。這次我們帶了九歲的外孫林思成（Steven Landgrat）同去，並與同窗好友邵鴻義博士夫婦和另一家年輕友人結隊同行，增加不少歡樂氣氛，不像前幾次與陌生人同桌吃飯，同車上路，而有一種孤寂與不自在的感覺。還有這次的遊輪是新的，而且較大，叫帝王公主號（Regal Princess），比較舒適，船停在加拿大維多利亞港時，我們上岸參觀了布奇花園，園景與上次所見差不多，其後在阿拉斯加的哈巴德冰河（Hubbard Glacier）觀賞冰河奇景，並在Skagway, Juneau與Ketchiton上岸參觀。對我來說，是舊地重遊，但對淑芳和外孫來說，則甚新鮮，大開眼界，是一次很滿意的旅行。

第二次是十一月中，去夏威夷群島和遠在太平洋中部，靠近赤道的芬尼島（Fanning Island）旅遊，我們先飛到火奴魯魯，在那裡住了兩天，然後上船。我們住的旅館，就在威基基海灘區（Waikiki Beach），一九四八年我從上海乘船到美國時，曾在火奴魯魯上岸參觀，那時的威基基海灘，眞是一大海灘，是夏威夷衝浪人（Surfer）留連之地，現在則蓋滿了高樓酒店，祇有小部份留作公園，已今非昔比。在這兩天內，我們先參觀曾被日本偷襲過的珍珠港（Pearl Harbor），被炸沉的軍艦亞利桑那號（Arizona）仍在原地，改建成紀念館，供遊客瞻仰，裡面有一張在艦上犧牲的官兵名錄，看了令人起敬。在艦上舉行日本投降儀式的密蘇里號（Uss Missouri）戰鬥艦，就停在附近不遠處，別有含義。在火奴魯魯市內，我們還參觀了以前和白人結婚的夏威夷酋長公主留下的比夏勃博物館（Bishop Maseum），古色古香，陳列品雖不多，但頗有波利尼西亞情調。第二天我們購票作奧胡（Oahu）島全島遊，由火奴魯魯出發，沿海岸開到另一端的波利尼西亞文化中心（Polynesian Cultural Center）參觀，途中看見一塊掛在路旁的「鄭友良農場」路牌，使我想起了在一九五〇年代，曾擔任過代表夏威夷州的華裔聯邦參議員鄭友良，他出身寒微，奮鬥進取，被選爲聯邦參議員，實非易事，他是美國有史以來，直到現在，唯一的華裔參議員。

波里尼西亞文化中心是一群體建築，和美國摩門教的布里汗楊大學（Brigham Young University）分校相連，有定期文化舞蹈表演，和波里尼西亞風味餐，但我們時間有限，不能等待買票觀賞，祇僱了一小木舟，循曲曲折折的水道，溜覽太平洋上波里尼西亞村莊樣本建築物，即匆匆就道，經過衝浪競賽海灣，及盛產菠蘿蜜的中央高原，回到火奴魯魯。

我們這次乘的遊輪比較陳舊，名叫挪威風號（M/S Norwegian Wind），它的賣點是可以穿便裝上飯廳，不必穿西裝打領帶出席船長歡迎宴和告別宴，而且價格較低。但據一美國老乘客告訴我，這條船是由小船加長而成的，船齡已老，客艙並不舒適，我也有同感。

上船後的第二天，到了夏威夷島西部的柯拿港（Kona），市鎮不大，也無值得一看的景點。下午離開該港，經過兩天的航程，到了太平洋中部靠近赤道的芬尼島（Fanning Island），這是一個平坦的小島，屬於祇有九萬多人口的島國奇里巴蒂（Kiribati）。遊輪公司在這裡協辦一間小學，並在海灘設有營地，專供該公司旅客到此遊覽、吃野餐、觀看當地土著表演他們的土風舞，或在深水中游泳，整整消磨了一天。這裡靠近赤道，雖不太熱，但紫外線非常強，我在樹蔭裡乘涼，皮膚一樣通紅，當地人衣著簡單，男子漢多是上半身赤裸，島上除一些可可果（Co Co nut）外，別無其他出產。

離開芬尼島，又是兩天航程，到了夏威夷島東部的大城亥洛市（Hilo），我們下船參觀美國最大的火山公園。該島有幾座大火山，有一座還在不斷噴出岩漿，而且位置較高，我們沒有去參觀。我們參觀的是面積廣大的死火山，雖然有幾處仍在冒煙，已經很久沒有爆發，火山口很大，中間平坦，四面有峭壁，在觀望台畔有一博物館，裡面有很多陳列品。在不遠的山頂上，有一大片以前爆發過的火山遺跡，都是岩漿形成的石塊石礫，草木不生，與月球上的地貌很相似。據云，美國登陸月球的太空人曾在此演習。在火山頂下，則有一片雨林，我們也走進去看了一下，在回程中，我們特去參觀山腳下的夏威夷特產碎果（Macadamia nuts）園，碎果果殼堅硬，果實黃白色，園內有商店售賣，供遊人品嘗。據云，這種硬果原產澳洲，樹高約二十英尺，樹根能在曾是溶岩的硬土上生長，在夏威夷種植特別適合。

由夏威夷到茂宜島（Maui），祇有一夜航程，這個島是夏威夷群島中景色最好的，青山綠水，海浪拍岸，有如人間仙境。我們祇在它的最大海港城拉亥那（Lahaina）附近參觀，拉亥那有一株號稱全世界最大的榕樹，枝葉繁茂，覆蓋相當大的地面。城郊有一座茂宜海洋中心（Maui Ocean Center），是一設計特殊的水族館，有鯨魚、海豚、大海龜、大魔鬼魚等，在凸形的透明水池中游來游去，遊客在玻璃建造的水下通道向上面及兩旁觀賞，有一種特殊的感覺。

卡瓦夷島（Kauai）是我們造訪的最後島嶼，它是夏威夷群島中最西的大島，風雨較多，浪也大，有引人入勝的岩洞、小瀑布下的清涼水潭，和在裡面游泳的長髮夏威夷少女，是一幅曾在電影中出現的迷人畫面。我們僱了一輛車到郊外觀光，山谷間有小河，兩旁的農田長滿青翠的農作物，與四面的青山合在一起，使人看了心曠神怡，與島上的海港城拿威里威里（Nawilli Willi）相較，大不相同。參觀完畢，我們就上船回到火奴魯魯，乘飛機返回加州。

二〇〇四年，我們也有兩次遊輪旅行，一次是在歐洲的西地中海，另一次是在中歐的多瑙河。四月下旬，我們乘德國魯申沙（Luthensau）航空公司飛機，先由舊金山飛往該公司在慕尼黑的運營中心，再換機飛往葡萄牙的首都里斯本。這是一座看起來很老的城市，但它是葡萄牙最重要的港口，十六世紀時，葡國的著名航海家達加瑪（Da Gama）和馬吉蘭（F. Magellan），都是由此出發，在海港邊還建有一座類似碉堡的塔，以標誌過去海員歸來時，家人到此歡迎的往事。我們在里斯本住了兩天，除參觀市內古舊的街道、教堂和古宮殿外，還驅車到距里斯本約一小時車程，靠近大西洋海岸的度假勝地新查（Sintra）去遊覽，那裡有皇室的行宮，海岸則有一漁村，我們去時還是春季，遊客不多。

我們乘的遊輪是荷蘭美洲遊輪公司（Holland America）的諾爾丹號（Noordam），比較陳舊，服務雖不錯，但艙房不很舒適，甚至地氈上有水，我去抱怨，要求換房，也沒有結果。後來我寫信給船公司要求補償，結果給我們兩人二百美元的預付款，以作下次再乘他們遊輪之用，我很不滿意。

在里斯本上船後，向南開航，次晨經直布羅陀海峽進入西地中海，我們在船上遠眺直布羅陀島，就像一條臥蠶，它是英國的屬地，非常靠近西班牙，也是地中海的咽喉和軍事要衝。

進入地中海後的第一站是屬於西班牙的米諾卡（Menorca）島，港口不大，我們上岸乘車在島中央溜覽一番就回到船上，航向西班牙的第二大城巴沙羅拿（Barcelona）。這座城的市街與建築，古香古色，天主教堂不少，其中有一座名叫艾克斯比阿托里教堂（Temple Expiatori）的大建築，有十六個衝天的高塔，已經施工幾十年，現仍未完成。據說這座形狀特殊的教堂，是西班牙最有名的建築師高地（Gaudi）設計的，市區內還有許多座形狀與衆不同的公寓，也是他設計的。因此巴沙羅拿可以說是建築最美觀的城市，它也擁有西班牙最大的鬥牛場，但現在已停止鬥牛。

一般的遊輪旅程，都是下午六時左右開航，第二天早晨八時左右到達另一站，讓遊客上岸觀光，由巴沙羅拿到法國的馬賽（Marseille）就是如此。我們在馬賽上岸後，就用在船上購買的觀光票，乘車去訪問一座建在山頂上的古鎮。這種古鎮，在歐洲不少，一般都有圍牆和碉樓，建於中古世紀，以保護鎮民安全，防備敵人進攻，所以大多數都建在山頂上，易守難攻。我們這次訪問的卡士特列村（Le Castellet Village），就是如此，村內山坡上有小街巷，幾間小商店和一座教堂，村外有葡萄園，釀酒是村民的主要經濟來源，葡萄酒就是遊客喜歡購買的禮品。

馬賽是法國最大的商港，港內有很多私人小遊艇，我們從古鎮回來後，祇在市區的一角和海港邊的寬廣走道上走了一圈，即返回船上，向小王國摩洛哥（Monaco）開航。次晨到了摩洛哥的蒙特卡洛（Monte Carlo），這是歐洲的大賭城，整個小國的面積不到兩平方公里，人口祇有三萬多，主要經濟來源是靠旅遊業，工作人員大多來自法國。據說，每天到此工作的外地人，超過三萬人，港口很小，三面是山，住宅都建在山坡上，層層公路和街道，既狹又陡，原來的王后葛利斯（Grace），從她建在山坡上的別墅開車下山時，就是撞死在山坡公路上的。王宮是建在一小山崗上，由停車場上去，要通過一道相當長的隧道，遊客不少，在王宮的廣場上，我們遇見從中國大陸來的幾個遊客。記得三十年前，我們全家到歐洲遊覽時，每個城市的觀光手冊，都有日文版，而無中文版，但現在大多數都有中文版，足見由中國大陸到歐洲旅遊的人已不少。

遊輪航行了一夜，次晨到了法國的柯西加島（Corsica）的首府阿加西奥（Ajaccio），這是拿破崙的故鄉，市內廣場上建有他們兄弟四人的銅像，他的故居也開放讓人參觀，但須購買門票。柯西加島有很高的大山，我們特地購票乘車上山旅遊，沿途峰迴路轉，氣候清寒，有一山區滿佈野生栗樹，任人採摘，我們在高山上的一間小食店，曾品嘗當地人用栗子粉做成的蛋糕。由那裡向下遠眺，可看到平地上的農莊和他們的椰子樹，是一幅天然的畫面。

遊輪的下一站是意大利西北部的利佛諾（Livorno），它是土斯坎區最大的海港城。我們買票上岸參觀了幾個景點，首先我們乘車到鄉間的一家農莊參觀，這是一家專供遊客休閒的地方，設有遊客住宿的房間，和供遊客進餐的小飯館，外面還有一花園，供遊客觀賞，我們就在它的飯館進午餐，吃的是道地意大利餐，有意大利人當水喝的紅白兩種葡萄酒，沾橄欖油吃的麵包，供食客共同分食的大盆生菜和大碗蔬菜湯，然後才是每人一盤的主菜五香蕃茄燉雞，味道不錯。通往該農莊的狹窄車道兩旁，都是橄欖樹園和葡萄園，我們吃的橄欖油和葡萄酒，就是農莊主人自己用橄欖果壓榨出來和用葡萄釀造的。當日下午，我們集體去參觀一座名叫魯卡（Luca）的古城，它是以石磚紅瓦和水泥爲材料建造的，四周有城牆圍繞，出入通道有城門把關，城內的教堂和民宅都是多層建築，看起來很擁擠，古香古色，顯然是在中古時代建造的防守城市。由該城回到遊輪的公路上，可以看見高聳的比薩斜塔（Leaning Tower of Pisa）。回想三十多年前，我們全家參加歐洲十一國旅遊團時，曾在比薩市住過一晚，觀賞斜塔，當時遊客不多，斜塔開放讓人參觀，我曾和女兒爬上斜塔的第二層瞭望。後來斜塔更加傾斜，政府開始設法搶救，禁止遊客上塔，以保護這座一千多年的古塔。

遊輪的最後一站是意大利中部的西維他維幾亞港（Port Civitavechia），這是通往羅馬的最近海港，我們在此下船，經過約一小時的車程，到了羅馬，住在一間環境清幽的旅館，距梵蒂崗的聖彼得大教堂不遠。我們在羅馬住了兩天，參觀的主要古蹟有三，其一是聖彼得大教堂（St. Peters Basilica）和附近的西斯汀禮拜堂（Sistine Chapel），這是所有羅馬的遊客都想要看的地方。梵蒂岡是一個很小的城市國家（Vatican City State），等於是全世界天主教會的首都，天主教的教皇（Pope）就住在這裡，天主教徒到這裡來，就等於朝聖。聖彼得大教堂建築宏偉，是全世界最大的天主教堂，也等於是天主教會的歷史博物館，應有盡有。三十多年前，我和篤信天主教的亡妻與女兒到此參觀時，已是遊人如鯽，這次我再來時，更是擁擠不堪，遊客一隊又一隊，在導遊率領下，擦肩而過，若想駐足多看一會兒，就有脫隊失落的危險。尤其是在狹窄的西斯汀禮拜堂裡，更是擠得水瀉不通，要想看一看最富盛名的邁可安琪洛（Michelangelo）的壁畫都很困難。

我們在羅馬參觀的第二個歷史遺蹟是古羅馬帝國的公共集會場（Roman Forum）和圓形大劇場（Colosseum）、公共集會場的石柱、蒂他斯凱旋門（Arch of Titus），與散布在地上的斷壁殘垣，和三十多年前的情景差不多，觀看的人不很多，但想進入大劇場一睹二千年前羅馬人觀看人鬥獸和人鬥人的舊地，遊客就非常多，等候購票的人群，排成很長的長龍。三十多年前則不如此擁擠，當年我們不僅到裡面走了一圈，觀看原來關猛獸的地下室，還爬上土樓梯，一睹以前觀看者的席位，目前看見排隊的長龍，也就放棄此一願望。改赴另一古蹟，西班牙階梯（Spanish Steps），這裡有幾層很長的石階，石階上有很多排列整齊的花盆，下面廣場上有一圓形噴泉，古羅馬人最喜歡噴泉，在全市內建有一千多個，完全用由高而低的人工水槽供水，至今已有兩千多年歷史，衆多遊客就坐在石階上休息，淑芳和同行的兩位遊客還從此出發，去觀賞極富盛名的大噴泉池，遊客把三枚銅幣丟入池裡，據說可得好運。我在三十年前曾經去觀看過，現在人老了，不能遠行，就一人坐在石階上，等候他們一同回旅館，於次晨乘飛機回家。

同年九月，我們參加友人潘恩炳夫婦發起組織的多瑙河（Danube River）旅遊團，乘遊輪沿多瑙河經匈牙利，斯洛伐克，奧地利到德國邊境，穿越由多瑙河到萊茵河的運河，到德國的紐倫堡下船，再乘車到捷克的首都布拉格，然後乘飛機返回美國。這次所乘的遊輪很小，祇能容納二百遊客，都是外艙，艙房設備和海上的大遊輪差不多，服務也不錯，別有一種風味。我們先飛到匈牙利的首都布達佩斯，在旅館住了兩天，參觀當地名勝。布達佩斯是由多瑙河南岸的布達（Buda）和北岸的佩斯（Pest）兩個城區組成，市中心和大多數古蹟皆在北岸，那裡有一英雄廣場（Hero's Plaza），中間的大理石台上，有騎戰馬的武士銅像，半圓圈的大理石石廊上，每小間都有一騎馬的英雄銅像，這是匈牙利人引以爲傲的歷史遺蹟。匈牙利人的祖先匈斯人（Huns）是來自中央亞細亞的遊牧民族，很可能是中國秦漢時代的匈奴人後裔，匈奴被漢武帝打敗後，向西逃到中央亞細亞，公元五世紀時，他們在國王阿提拉（Attila）率領下，入侵歐洲，建立了從裏海到萊茵河的大帝國，都城就在布達佩斯附近，所以匈牙利人很喜歡馬術。我們一群同船遊客，曾坐巴士到布達佩斯東南約二十英里外的一個大養馬場去參觀，乘坐高高的大馬車遊園，和觀看他們表演馬術。表演騎士的穿著很特別，身著深藍色寬鬆的長衫，頭戴厚邊圓形帽，足穿馬靴，手執長鞭，能站在馬背上馳騁，用馬鞭拍地指揮馬躺在地上和起來，類似蒙古人的馬術，也顯示了他們曾是游牧民族的傳統。

我們在布達拉佩斯上船，向西逆水開航，經過前蘇聯專家在多瑙河上建造用以發電的大水壩，次晨到了斯洛伐克的首都布拉提斯拉瓦（Bratislava），參觀那裡的古堡、古城門，和很平凡的王宮。下午回到船上，繼續向奧地利的首都維也納開航，次晨到了維也納，這是以前奧匈帝國的首都，也是以華爾茲樂曲聞名全世界的大作曲家約翰史特勞斯（John Straus）的家鄉。在市內有多座音樂廳，我們特地買票到史特勞斯曾演奏過的一座音樂廳，欣賞那裡的樂隊演奏華爾茲樂曲，然後去參觀寬廣的皇宮建築，和富有特色的天主教堂。歐洲教堂之多，屈指難盡，旅遊團常帶遊客去看，看多了，就覺厭煩，所以我多半不進去參觀，改在街道上散步。有的市街兩旁滿佈喝啤酒的桌椅，中歐人尤其是日耳曼人，特別喜歡啤酒，和我們中國人喜好喝茶一樣，他們到啤酒館消遣，和我們進茶館喝茶聊天一樣，是日常的生活習慣，德國巴伐利亞出產的啤酒，酒精濃度很高，以前我曾試喝一杯，就有昏昏入睡的感覺。

遊輪於午夜離開維也納，次晨到了梅爾克（Melk），那是個小城，在河岸旁的高地上，有一座長方形四層高的大建築物，紅瓦黃牆，前端有三座高塔，非常壯觀，這是中歐最大的本尼底克汀修道院（Benedictine Abbey），我們買票進去參觀了一部份，但沒有看見一個修道士，想已沒落。

由梅爾克再向西行，到了靠近德國邊境的林茲市（Linz），我們一部份遊客買了車票，集體到聞名的沙爾茲堡（Salzburg）去觀光，這是偉大作曲家莫札特（Mozart）的故鄉。他的故居是一個公寓，現仍保存供人憑弔。在市區邊沿上有一高崗，上面建有古堡，是中世紀統治該區的騎士堡壘。過去中歐缺鹽，而這裡是產鹽的地區，以城邊的河流爲通道，運往其他城市，所以取名沙爾茲堡，就是鹽城的意思。

沙爾茲堡也是衆所欣賞的有名電影「眞善美」（Sound of Music）的故事與拍攝地點，電影中兩位主角結婚的教堂，和他們全家在逃避納粹黨徒追捕時，躲藏的古墳場，就在市裡，但與電影中的漂亮佈景相比，則相差甚遠。

我們乘電梯上古堡參觀，古堡面積不小，有石磚牆圍繞，有守望樓和多間大建築物，中間有一大廣場，由古堡向下瞭望，整個市區皆在視線之內，有曲折的坡道向下通往市區，我們就是沿坡道走下山，隨即去參加音樂午宴，欣賞莫扎特的鋼琴樂曲。下午回到船上時，船已到了德國的邊城帕梭（Passau），流過沙爾斯堡城的茵河（Inn），就在這裡注入多瑙河。由此再溯流西行，次晨到了倫根斯堡（Rengensbarg），這是德國保存最好的中世紀古城，公元二世紀羅馬帝國在此建造的堡壘城門，遺蹟仍在，更有多座跨越多瑙河的古橋，教堂也很多，其建築格式亦各有特色。

過了倫根斯堡不久，就到了多瑙河的峽谷，這一段的風景甚好，前幾天的航程，都是夜間開航，無法欣賞兩岸風光，到這裡白天開航，就可飽覽兩岸景色，多瑙河到峽谷時大轉灣，因爲水位低，船底有時會擦到河床，所以船長要求所有乘客下船，以減輕重量，再由小船協助渡過峽谷。我們則上車開到峽谷上方，在修道院旁溜覽了一會，再乘車繞過峽谷回到船上，當晚觀看德國巴伐利亞的民俗音樂與舞蹈表演，次晨船已經過十六道水閘，進入由多瑙河到萊茵河支流滿河（Main）的運河，越過阿爾卑斯山北麓的分水嶺，於午後到了紐倫堡（Nuremberg），這是前德國納粹黨的大本營，有一類似美國足球場的廣場，當年大獨裁者希特勒，就常在此地演講台上發表煽動性的演說，據說每次參加集會者有十萬人之多，廣場周圍佈置的活動廁所就有千個以上。第二次世界大戰結束後，審判戰犯的國際法庭，也設在城內，希特勒在柏林被蘇軍攻下時已自殺，沒有受審，其他的納粹首領如戈貝爾等就是在這裡被判死刑的。我們沒有時間進去參觀，回到船上，次晨下船，乘車向捷克的首都布拉格開行。

布拉格是個已有千年歷史的中歐大城，市街和建築物看來都很舊，有一座幾層高形狀特殊的古城門。通過市區的河上建有多座石橋，在夜間燈火中很醒目。市內還有一猶太人的住宅區，和在小山崗上的一座千年古堡，我們曾到古堡參觀，除城堡和幾座大建築外，還有一條小街，街邊有一列以前是匠人居住的土樓和作坊，現在則成了販賣紀念品的小商店，由古堡向下眺望，可以看到全城。離我們所住旅館不遠處，有一家名叫澳門的中餐館，我們到那裡去用餐，與老闆相談，得知他們是從中國大陸經過蘇聯到布拉格的，據說在蘇聯統治捷克期間，到捷克的中國人不少，有的在這裡務農，所以飯館可以買到中國蔬菜和雞魚。另一條小街，則有很多俄國人和烏克蘭人開設的小商店，售賣俄國的首飾和玩具。

我們住在布拉格的第二天，特地乘專車去一名叫特列任（Terezin）的地區，參觀以前納粹德國在那裡建造的猶太人集中營，雖然已過半個多世紀，在裡面仍覺陰森可怖，其中一排長屋裡，有兩層木板長床，猶太人被關在裡面，幾百人擠在一起，有的被運往其他集中營，有的就在這裡處死、病死或餓死，監管他們的納粹特工和他們的家屬，則住在營地的另一區，有住宅、游泳池和球場，完全是兩個不同的世界。運送被囚的猶太人，另有一條地下通道，據說警衛對他們很殘暴，稍有差錯，即被槍殺。在集中營外有一個猶太人的大墳場，平面碑上都刻有被害人的名字，可以想像當年的慘況。

在布拉格參觀完畢，我們即乘飛機返回加州。

二〇〇五年二月初，三瓦坤縣退休公務員協會主辦去墨西哥的遊輪旅行團，我報名和淑芳一齊參加。這是一短期旅遊，祇有五天，於清晨離家，乘長途汽車經過六小時的車程，到洛杉磯的海港聖貝特洛（San Pedro）上船，向南開行，次晨到了聖地牙哥（San Diego），大家下船，分頭遊覽當地名勝，我們選擇到著名的聖地牙哥動物園參觀，這是世界聞名的動物園，育養各種奇特的動物，在市外還有一規模廣大的野生動物園。這兩個動物園，三十多年前，我們全家曾去過，這次我們祇參觀城內的動物園，和以前的情景稍有不同，園區很大，須乘園內的交通車到各區觀賞，比較新奇的，除中國的大熊貓外，還有水族館裡的非洲大河馬，和由訓練員指揮的野貓和飛鳥表演，令遊客讚嘆不已。

遊輪的下一停留站是卡他林那島（Catalina Island），該島距聖地牙哥約三十海哩，是一座山島，岸邊祇有一個名叫愛維龍（Avalon）的小城，我們乘當地的旅遊車到山上走了一圈，觀看小城和海景。據說，該島上原有的野生動物和鳥類，由於人類移居此地後，帶來的狗、貓、老鼠和羊群迅速繁殖，而失去生活空間，幾已絕跡。

最後一站是墨西哥的安西那打（Ansenada），這個港口城市很簡陋，沒有一座高樓大廈，祇有一條街，兩邊都是連在一起的小商店，售賣土產的墨西哥首飾衣服，及其他小商品，顯現得生活程度很低。我曾到過墨西哥許多城市，除加利福尼亞海灣中南部岸邊的平坦農地外，都是地瘠民貧，勿怪乎湧到美國的偷渡非法移民那麼多。我們乘旅遊車到海岸邊參觀一個噴水洞，然後去觀看墨西哥的民族舞蹈表演，男舞者穿黑短衫和有條紋的黑長褲，頭戴大黑邊帽，女舞者穿著艷麗的寬裙袍，頭戴小花冠，男女都穿了可發響聲的皮鞋，踏鞋對舞，非常起勁，是墨西哥特有的表演藝術。

下午回到船上，向北開航，次晨到聖貝特洛下船，再乘車回到士德頓。這次旅遊日程雖短，但同行者很多都相識，談笑風生，甚爲愉快。

二〇〇六年七月下旬，我們參加西歐六國遊，包括英國、愛爾蘭、挪威、荷蘭、比利時和法國在內。這次的遊輪很大，名叫金色皇后號（Golden Princess），建於二〇〇一年，總噸位爲十萬九千噸，長九五一呎，寬一一八呎，有十六層樓高，可容納乘客二千六百人，工作人員一千一百五十人，是我乘過的最大遊輪。一般來說，高層和船頭船尾的波動較大，船中央的幾層艙房較爲平穩，可減少和避免暈船，這次我訂的外艙，是位於船中央的第五層，靠近電梯，上下很方便，在大海上衹有輕微波動，相當舒適。

三十年前，我們全家到倫敦時，衹在市內觀光，這次則想到鄉間的名勝去遊覽，所以先到倫敦住了四天才上船。我們住的旅館是在美菲爾區，面對一小公園，距倫敦最大的公園海德公園不遠，美國駐英國的大使館就在附近，我們到公園裡散步，就覺得倫敦的公園與美國的公園有些不一樣。倫敦的公園，草地枯黃，好像缺乏生氣，而美國的公園則綠草如茵，整齊清新，令人有一種舒暢的感覺。我們花了一天時間參加市區觀光團，大半時間是走馬看花，衹有在泰姆斯河泛舟，觀看沿海風景，在河邊的古監獄倫敦塔內回想往事，在威斯特敏斯特古教堂（Westerminster Abbey）瞻仰名人如牛頓等大科學家的古厝與皇家遺物，和在白金漢宮廣場觀看衛隊換班遊行，較爲滿意。

我們另花了一天時間，乘旅遊車到一百多英里外的鄉間，參觀三大名勝古蹟，在來回途中，穿過許多叢林和莊園，沒有高山，祇有小丘。使我想到中古時代著名俠客羅賓漢（Robinhood）劫富濟貧，在叢林中來去自如，使官兵難以預防的故事。而那些莊園，就是以前英國貴族和紳仕（Gentlemen）享受豪華生活，帶領成群獵犬盛裝在馬背上追打野狐的場所。

我們參觀的第一個名勝是溫莎堡（Windsor Castle），它是英國皇家的行宮，面積很大，有多座石磚建成的大廈，四周有石牆圍繞，位於一山坵上，可俯視四周原野，是很堅固而易守難攻的大堡壘，裡面有皇家的居所，珍品展覽廳和衛隊的房舍。遊客雖多，但不擁擠，可在開放地區自由觀覽，山坵下不遠處有一小鎭，遊客可在那裡吃午餐和購買紀念品。

其次是參觀古羅馬澡堂（Roman Bath），這是公元前羅馬帝國佔領英格蘭期間，在此地發現溫泉後建造的，羅馬人最喜歡澡堂，它不僅供沐浴消遣之用，也是文藝活動的場所。這裡的溫泉是在河邊上，泉水流經浴室和小游泳池後，即由暗道流入小河。在小游泳池的四周，建有兩層高的陽台，從上面俯視泳池，泉水呈淡黃色，大概很久沒有人在池中游泳過，祇供人憑弔而已。澡堂外有一小鎭，在接近澡堂的路上，有幾個小山谷，從山頂到山底，滿佈油綠的牧草，是一美麗的天然畫面。爲了趕路，中途沒有停車，即開往舉世聞名的奇蹟石鋑鏈（Stonehinge），這是五千年前，古人在此豎立的一圓圈大石柱，和架在上面的大石樑，現已有多根倒塌，其所以是奇蹟，是因爲第一，在附近幾十里內，沒有山崖可以提供這麼大的石材，第二，這些幾十噸重的石柱石樑是從何處和用什麼工具運來此地，第三，在沒有機器的遠古時代，這樣重的石柱和石樑是用什麼方法豎立和裝置在上面的，直到現在還沒有人能提出答案，還有，這一圈鉸鏈有何用途，也沒有人能確定，我們帶了外孫在環繞的走道上看了全景，即乘車返回旅館。

倫敦的物價很貴，尤其是吃的，比美國貴得多，我們在旅館的飯廳和不遠處的中國飯館用過餐，既貴而份量又少，所以特地乘的士到唐人街去吃中餐。倫敦的唐人街祇有一條，擠滿了各式各樣的小商店，市容比較差，與紐約的唐人街有點相似，是歐洲最大的唐人街。

遊輪的碼頭不在倫敦，而是在倫敦西面一百多英里外的少桑普頓（Southampton），距倫敦約兩小時車程，和美國的大城市一樣，交通非常擁擠，市區和市郊皆然，公路兩傍樹林密茂，農田不多。少桑普頓港不很大，市區也小，到了碼頭，照例照相辦理上船手續，因乘客衆多，等了很久才上船，已是午后，饑腸轆轆，好在飯廳已開放，我們把手提行李放進艙房內，即直奔飯廳。

遊輪於下午五時開航，次晨到了愛爾蘭的首都都柏林（Dublin），由海港到市區不近，去市區觀光必需購票，而在市區參觀的都是教堂和其他建築之類，要走很多路，所以祇有淑芳和外孫去市區，我祇在碼頭附近走走。看起來愛爾蘭並不富裕，在一八四〇年代，因他們的主食洋山芋歉收，引起大饑荒，百萬人逃荒移民美國，所以美國的愛爾蘭裔人很多，有幾大城市的警察和救火隊，大多數都是愛爾蘭人，從政的也不少，他們絕大多數都是天主教徒，在美國不太受歡迎，所以在美國的歷屆總統中，衹有被刺的肯尼迪（John F. Kennedy）總統是唯一的愛爾蘭裔天主教徒。

次晨到了蘇格蘭的格林諾克（Greenock），這個小城是通往格拉斯哥（Glasgow）的海港，但距離很遠，我們沒有去格拉斯哥參觀，衹乘當地教會的小巴士，到市郊山崗上，瞭望海港景色，即回到船上。其實，在兩千多的乘客中，很多都不常下船，因爲船上有三個游泳池，有酒巴、舞池、圖書館、講習室、健身房、電視、賭場和電影院等等，不必下船，也可任其所好，得到休閒和娛樂的滿足。

下一站是挪威的卑根市（Bergen），二〇〇一年八月，我們曾到過這裡，此次重遊，衹參觀了當地的自然歷史博物館，該館收集的岩石和鳥類標本特多，淑芳是學地質的，對此甚感興趣，其後，在市中心的公園和鄰近的主街漫遊了一會，即回到船上，向南開航，次晨到了荷蘭的鹿特丹（Rotterdam）。這是歐洲最大的商港之一，第二次世界大戰初期，德國納粹空軍曾狂炸這裡的市區，大半被摧毀，戰後重建，有幾棟外表全是玻璃磚的高樓大廈，相當耀眼，在此，我們意外看到了一條唐人街，商店雖不多，但中國蔬菜和雜貨，都可買到。

由鹿特丹到比利時的日布魯吉（Zoebrugge），航程很短，清早就到港內，日布魯吉是通往比利時首都布魯塞爾（Brussels）的海港，城市不大，沒有什麼值得參觀的地方。布魯塞爾以前我曾去過，所以我們衹乘公共汽車到不遠的度假小城布蘭肯伯吉（Blankenberge）去遊覽，想不到這小城的海灘，竟是一個寬闊而滿佈高級旅店的度假勝地，在很長的沙灘上，有若干家供海水浴的設備，各有形狀與顏色不同的太陽傘和躺椅，岸上有寬平的長走道，走道旁是一座連一座的高樓大廈，幾乎全是度假旅館，氣勢不凡。岸後市區的主街雖無大建築，但小商店林立，遊客很多，別有一種與衆不同的風味。

法國首都巴黎的通海港列哈維（Le Havre），是我們遊輪的最後一站，位於塞納河的出海口，由遊輪的最高層，可以看見港區的全景。船公司主辦了兩項長途旅行，一是去憑弔第二次世界大戰時美軍登陸反攻德軍的諾曼地海岸，二是去巴黎參觀。淑芳和外孫林思成參加了巴黎旅遊團，由列哈維到巴黎需三小時的車程，來回要走六小時，在巴黎城內走馬看花不到兩小時，最主要的景點如鐵塔，諾特丹教堂和魯爾博物館，都沒有時間停留參觀，而每人要付一百三十美元的旅遊費，實在不值得。我因爲以前曾在巴黎和凡爾賽宮參觀過，所以沒有去巴黎，祇乘交通車到列哈維市區獨自觀看市容。

當晚遊輪從列哈維開返英國的少桑普頓港，我們因爲要趕上午十一時的美國班機，清早六時就下船，經過兩小時的車程，到了亥斯洛國際機場，在排隊領登機證和交運行李時，忽然接到消息，恐怖分子要在當天（二〇〇六年八月十日）炸毀飛往美國的十架客機，我們乘坐的班機，就是其中之一，機場於是大亂。排在我們前面的一個乘客，剛辦完簽證和交運行李，正要離開，櫃台職員突然把他叫回，要他打開手提行李，把錢包，每天必需藥品，護照和紙巾拿出來，裝在一小塑膠袋內，告訴他祇能帶這個塑膠袋上飛機，手提行李不許帶上飛機，必須交運，此後，所有旅客都要照辦。其次，進候機室前，也多了一次安全檢查，第一次檢查通過後，第二次再詳查，手機和照相機都不許帶上飛機，淑芳帶了小手機，第二次檢查時未獲通過，祇好回到櫃台，將手機交運，才得過關。到了候機室，又宣佈所有書籍都要沒收，不許帶上飛機，我們在候機室等了一個多小時，才宣佈要乘客下樓，乘交通車到機場的另一角上飛機，因爲飛機也不許停在機場大樓的停機坪，上了飛機，我們枯坐在機上，等候了約兩小時，才接到由美國方面傳來許可飛回美國的命令。據說當天上午，英國與歐洲大陸間的所有航班，都被取消。我們所乘的飛機，在延遲四個多小時後，終於獲准啓航，機員與乘客如釋重負，幸而一路平安，回到加州，恐怖份子揚言當日要炸毀的十架美國客機，在實行嚴格安全檢查措施後，都未發生事故，實屬萬幸。

二〇〇七年，我們兩度乘遊輪出遊，第一次是三月中旬參加三瓦坤縣退休公務員協會主辦的夏威夷二週遊，在南加州的洛杉磯海港上船，這次乘的是名人遊輪公司（Celebrity Cruises）的巔峰號（Summit），有九萬一千噸，可容乘客一千九百五十人。經過四天半的航程，到了夏威夷大島的亥洛市（Hilo），這是我們第二次到這裡，沒有再去火山公園參觀，祇在市區遊覽，和觀賞植物園內的熱帶花木。次晨到了該島的另一海港卡魯瓦孔那（Kailua Kona），市區很小，上次已看過，就去坐小玻璃底船出港觀賞水下小魚和其他淺海生物，但所見不多，甚爲失望，當天晚上離開大島，次日到了景色宜人的茂宜島（Maui）。我們上岸後，專程到鄉間的瓦卡卜村（Waikapu Village）去遊園，和享用夏威夷土著特有的烤豬風味餐魯奧（Luau）。

這種烤豬的烤法與眾不同，他們在地上挖一小坑，坑底佈滿石頭，用炭把石頭燒得火熱，然後把生乳豬放在烤板上，放置在高溫的石頭上，蓋上多層香蕉葉，再蓋上一厚布氈，四周用石頭壓住，燜烤約六小時。在開蓋取豬前，還舉行一種儀式，烤豬取出後，撕成碎肉，配上夏威夷毛芋做成的芋糊和其他菜餚，陳列在飯廳內，由遊客自助取食，並邊吃邊看他們的夏威夷土風舞表演，別有一種風味。

由茂宜島到火奴魯魯Honolulu（即檀香山）並不遠，也航行了一夜，它是夏威夷州的首府，我以前曾來過兩次，這次來時，不期與好友謝其嘉和沈慰芸夫婦晤面。多年闊別，相見甚歡，他們在台灣創業有成，在火奴魯魯郊外的可可角（KoKo Head）海濱置有華宅，面臨大海，風景絕佳，承他們熱忱款待，並於次日驅車到山上平原，參觀全球最大的香蕉和鳳梨產銷商多爾（Dole）公司在那裡設置的莊園多爾農場（Dole Plantation），先坐小火車觀看全景，再看鳳梨苗圃，有世界各地的品種，形形色色，實屬罕見，是這次來此的最大收穫。

同年的另一次遠遊，是在七月中旬的阿拉斯加水陸聯貫遊（Cruise-tour），由荷蘭美洲遊輪公司（Holland America Line）全程包辦，我們乘飛機到加拿大的溫哥華上船。同行有外孫林思成，他現已十三歲，給我們不少協助。遊輪向北開航，這是我第三次來此，所不同的是這次另到了一個名叫史提卡（Stika）的海港，它是以前帝俄時代向美洲擴張的主要據點。建築物頗有俄國風味，我們去市郊的森林公園參觀，小徑兩旁都是高大雲杉，地上滿佈綠苔，令人有一種陰森的感覺，還看見幾處俄國人留下的遺跡。

經過七天的海上遊，我們在阿拉斯加的西瓦德（Seward）港下船，乘巴士到安哥里吉（Anchorage），沿途經過許多高山，再沿漫長的海口公路到安哥里吉飛機場，飛到阿拉斯加北部重鎮費爾本克（Fairbank），在那裡住了兩天，其中一天在市郊乘老式河輪（Riverboat）觀賞奇那河（Chena River）和塔納納河（Tanana River）沿岸風光。並上岸參觀印地安人的營地，和他們的雪橇狗表演。以前印地安人的住房很簡陋，都是用樹幹、樹枝、樹皮和獸皮搭建而成，他們多靠打獵和捉鮭魚爲生，所以衣服和臥舖也多是用粗糙的獸皮做成。生活十分艱苦，但現在的印地安人已大不相同，我們參觀的衹是歷史陳列品，供人憑弔而已。

第二天，我們乘車去城北約五十里外的金礦區和阿拉斯加輸油管的中途站參觀，金礦早已停產，我們看到的，衹有遺留下來的採礦機和供遊客學淘金的場地。我們試把場地提供的金沙放在鐵盤裡，在水槽中左右搖晃，把沙和碎石晃盪出去，最後得到一些細小的金粒，留作紀念。

阿拉斯加的輸油管是一個浩大的工程，從靠近北極圈的普魯荷灣（Prudhoe Bay），到南邊的凡德茲（Valdez），港全長八百英里，我們在中途站看到的輸油管，直徑約五英尺，擺在距地面約七英呎的高架上，以避開凍土層，並給馴鹿群預留通道。此外我們還看見陳列在站上供遊客參觀的清刷油管機，叫做「豬」（Pigs），它在油管裡滑行，使原油不致因冷凍凝固而阻礙流通，甚覺有趣。

離開費爾本克，我們乘火車向南行，穿過許多凍土帶和一望無際的寒帶森林，約四小時後，到達有名的笛那里國家公園（Denali National Park），其範圍之大，實在驚人，近處有河流，高原草坡和森林，遠處有北美洲最高的麥金利山（McKinley）。動物有大灰熊、麋鹿、馴鹿和山羊等，我們住在遊輪公司的度假村旅館內，由導遊率領到多個景點參觀，大家都希望看到那些有名的野生動物。但祇遠遠看見一隻麋鹿，甚爲失望，在公園內住了兩天，繼續乘火車向南行，沿途森林密茂，河流縱橫，並不時看見飛瀑，風景甚美。快到安哥里吉時，不遠處的高山，在盛夏仍白雪皚皚，是當地的滑雪勝地，最後到達機場，飛回加州，結束這一愉快之旅。

我們最近的一次遠遊，是二〇〇八年三月下旬的南美洲十六日遊，這次坐的遊輪也很大，名叫公主星球號（Star Princess），有十萬九千噸，長九百五十英尺，可容乘客二千六百人。我們先從舊金山乘飛機到阿根廷的首都布爾諾斯（Buenos Aires），由旅行社安排先作四天陸上遊，祇有四人參加，第一天遊覽市區名勝，包括有粉紅宮之稱的總統府、國會廣場、獨立紀念碑、和號稱全球最寬的大街「七月九日大道」，晚上去夜總會觀賞阿根廷有名的探戈舞表演，非常精彩。次晨乘飛機到阿根廷和巴西交界處的伊瓜蘇大瀑布（Iguazu Falls）參觀，住在公園內的喜來登酒店，我們的客房正面對遠遠的瀑布，四周林木蒼翠，風景甚美。由旅館到瀑布去參觀，要先乘小火車到河流附近的車站，再徒步走向瀑布，因阿爾土巴拉那河（Rio Alto Parana）的河道很寬，分成許多支流，每一支流都有瀑布，成爲一很寬的瀑布群，要看最壯觀的瀑布，必須走過一連串的小橋，才能到達位於中點的大瀑布，但這是阿根廷境內的瀑布群。要看巴西境內的瀑布群，我們沒有巴西的入境簽證，無法去看。伊瓜蘇大瀑布與美國和加拿大交界處的尼加拉瓜大瀑布（Niagara Falls）完全不同，伊瓜蘇大瀑布是由許多大小不同的瀑布組成的瀑布群面積寬廣，但水量不大。尼加拉瓜大瀑布，則是由兩個不相聯，水量非常大而且很高的大瀑布組成，所以各有各的特色。

在瀑布公園內住了一晚，次日上午，由住在巴西境內的華人男導遊陪同去寶石場參觀，寶石場並不大，據說是農田主人在一小溪中撿到有顏色的碎石，加以鑿磨後色彩紅潤可愛，於是在地上挖掘發現寶石，就加工製成各種首飾，供遊客選購，生意不錯。下午，到了機場，飛回布爾諾斯，仍住在原來的酒店，由同一華人女導遊帶領我們四人在市內觀光，包括小小的唐人街在內。據她說，布爾諾斯大概有華僑三萬人，多半經商，有幾間旅行社，老闆都是台灣人，導遊全都是大陸人。她就是大陸移民，在當地大學畢業，丈夫也是大陸來的。她又介紹說，阿根廷的離婚率很低，因爲阿根廷人很浪漫，情投意合就同居生子，不合則分手，很多人不辦結婚手續，所以分手時不須離婚。

我們當天下午上船，於五時離開布爾諾斯，次日上午八時，到達烏拉圭（Uraguey）的首府蒙特維多（Mantevideo），上岸參觀，烏拉圭是南美洲的第二個小國，人口約三百萬，超過半數住在首都，經濟以農業爲主，首都並不繁華，但它卻是南美洲最民主，最安定，和社會福利最好的國家。

離開烏拉圭後，在大西洋上航行了一整天，才到達英國屬地福克蘭群島（Folkland Islands）的史坦利（Stanley）港，它是這些群島的最大城市，以漁業爲主，市區小而荒涼，小商店都很少，看起來雖不足道，阿根廷卻認爲很重要，想佔爲己有。曾於一九八二年派兵進攻佔領史坦利市，後經英國增援反攻，阿根廷兵敗撤退，但埋藏在草原上的地雷很多尚未被找到，我們去參觀以前的戰場時，還看見遊客止步的警告牌。

在史坦利停留了半天，遊輪於下午六時離港。在大西洋上又航行了一天，並專程航行到南美洲的最南端，讓遊客觀賞聞名的海角角（Cape Horn），這是屬於智利的一群荒島，其中有兩個小島的尖峰，看起來像一對角，故名。這裡靠近南極，陰雲滿佈，海風強勁，不時下雨，是一個沒有人煙的地方，看過海角角後，遊輪向北開進比格爾水道（Beagle Channel）。進化論的創始人達爾文（Charles Darwin），曾乘 Beagle 號帆船經過這一水道到太平洋，因以得名。次晨到了阿根廷的最南港烏蘇阿（Ushuaia），它位於麥哲倫海峽南面火地島（Tierra Del Fuego）的東南部，是距離南極洲最近的城市，也是南極探險隊的主要供應站。我們參加一個名叫「開車到世界末端」（Dive to the end of the World）的陸上旅行團，開車進入火地國家公園，直到世界最長公路泛美洲公路（Pan American Highway）的終點，止於巴亥亞湖（Bahia La patal）畔，湖的西部，就是智利領土。公園內滿佈寒帶叢林，葉小而樹不高，與阿拉斯加寒帶闊葉赤楊和針樅森林完全不同，以前島上的印地安人常在叢林中縱火燒山，煙霧瀰漫，所以初到此地的歐洲探險家稱此地爲火地（Land of fire）。

下午四時離開烏蘇阿，向西北開航。次晨七時到了智利的拜他阿冷拿（Punta Arena），該港位於麥哲倫海峽北岸，在巴拿馬運河開通以前，是從大西洋進入太平洋必經的港口，非常繁榮，現在則已沒落，但城市規格仍在。由此地出發，可以去看企鵝巢穴和聚居地，也可乘小飛機到南極洲上空看冰雪奇景，當天下雨，我們衹乘車在市內觀光，並去有名的拓荒者墓園瞻仰，墓園很大，就像一座小城，四周有石牆，裡面分成幾個小區，有小巷相通，小巷兩邊都是石墓，用花崗岩和大理石建成，高的有二十多英尺，小的也有七八英尺，有的就像一座小教室，有的像一間小屋，墓石上除刻有碑文外，還有石雕人像，耶穌像和其他圖案，非常壯觀，墓主人有西班牙人、德國人、荷蘭人和猶太人等，是難得一見的雄偉墓園。

過了麥哲倫海峽，就到了太平洋。大西洋風浪很大，一到太平洋，就平靜得多，在海上航行了一天半，到達智利的蒙特港（Puerto Mont），它是通往智利湖泊區（Lake District）的港口。城區不大，我們特地乘車到五十英里外的湖泊區去參觀，那些大小湖泊，是古時冰河消失後的遺跡，縱貫南美洲的安地斯（Andes）大山脈，就在湖泊區的東邊，一座有白雪套頂的俄索諾大火山（Osorno Volcano）。距此不遠，在安地斯山東邊的阿根廷境內，也有一個類似的湖泊區，稱爲南美洲的小瑞士，湖泊區的居民，大多爲德國移民，在最大的陽克赫湖（Lake LLanguihue）畔，就有幾個德國人聚居的村莊。旅遊車帶我們去參觀一個名叫弗魯提拉（Frutillar）的小城，紅牆白窗的住宅，頗有德國風味，當地有名的德國移民博物館，建在城邊的小山坡上，裡面零星的小屋，有住宅、有鐵匠舖、有碾麥房、有小店等等，頗有鄉村氣味。我們回到港口，在小街上採購當地出產的禮品，多爲皮毛製品，價廉物美，不可多得。

遊輪於下午七時開航，正是船長給遊客舉行送別宴的時候。和上船後的歡迎宴一樣，大家都要穿正式西服或禮服，廚師和餐廳侍者，還列隊手托精製糕餅在席間遊巡助興，頗爲有趣。當晚十時，還舉行香檳瀑布酒會，用酒杯搭成一座寶塔，由遊客輪流上台把香檳倒在頂端，酒向下流成小瀑布，四周擠滿船客，爭相照像喝彩，頗爲熱鬧，直到午夜始散。

次日又在海上航行了一天，最後到達終點站瓦卜拉索（Valparaiso），它是智利的最大港口，也是通往智利首都聖地牙哥（Santiago）的要衝。我們一共四人，由華人旅行社安排，特別派一導遊到碼頭接我們下船，在一中餐館進午餐後，帶我們參觀瓦卜拉索和一相鄰城市的景點，再驅車到五十英里外的聖地牙哥，參觀當地的智利總統府和公園，然後送我們到飛機場，於夜間八時啓程飛回美國。

智利是產銅大國，與中國有貿易往來，所以在聖地牙哥和瓦卜拉索一帶也有很多華人，凡有華人的地方，就有中國餐館。我們在瓦卜拉索吃午飯的華人自助餐廳，大得驚人，可容數百食客，足見智利人也喜歡中餐。智利祇有一千五百多萬人口，據導遊說，男女人口比例懸殊很大，女姓比男姓多過約二百萬，所以智利人也很浪漫，隨便同居的不少，這和阿根廷的民風差不多。

到此爲止，我最想去旅遊的地方，都已去過，所見所聞不少，俗語說百聞不如一見，又說行千里路勝過讀萬卷書，我深有同感。

第二十二章 頤養天年

常有人問我，你已九十歲，還能行走自如，寫書看報，有什麼秘訣？我的答覆是沒有什麼特別的秘訣，要說有的話，也祇是在衆人皆知的健保常識中，選擇幾種對我比較適合的項目，不斷去做，不急功近利，祇求日久見效，即滿足心願。在這一方面，我很相信荀子的名言，他在勸學篇裡說，「鍥而捨之，朽木不折，鍥而不捨，金石可鏤」，這就是說，祇要你有目標，堅定不移，慢慢前進，不三天打漁，兩天晒網，或中途而廢，終必能達到目的。

其次，我很相信儒家的中庸之道，不論是待人接物，做事和保健，我都以此爲原則，適可而止，就像毛澤東所說的，「不要因勝利而沖昏了頭」，或患得患失，使精神受到極大壓力，而損害心理健康。

再其次，我不做超過自己能力的事，不自大，也不悲觀，不管別人說得天花亂墜，決不盲從，力求心理平衡，諸葛亮說的「淡泊明志」，很有道理，不奢望意外的收獲，心平氣和，就可減少煩惱，過平淡而寧靜的生活。

以上三點，可以說是我的座右銘，對我的身心健康，有很大影響。至於在實踐中的生活細節，可分爲有所爲和有所不爲兩大類，有所爲就是培養和改善身心健康，是積極的，有所不爲則是保護身體，使其不受病毒侵害，兩者合一，就可走上健康長壽之路。

現在先說「有所不爲」的事項：其實這些都是老生常談，衆人皆知的生活習慣，包括下列幾項：

一是不吸煙：香煙對健康的危害，已廣爲人知，它會引發肺癌、肺氣腫、心臟病，和其他呼吸系統病變，因此，我從來不吸煙，也討厭在公共場所吸煙的人，因爲煙味會使我咳嗽。

二是不喝酒：在青壯年時代，我有時在社交場所會陪喝一點酒，但從未醉過，最近二十年，則已戒酒，因我認爲酒精對人體刺激太大，而且與某些藥物混合，會引起不良反應。

三是不賭博、熬夜：以前在友人家作客，被邀作方城之戲，陪打四圈小牌，或去賭城遊覽時，嘗試小賭以作餘興，但從不大賭，更不願久留。因爲坐的時間太長，又要聚精會神，就會感覺頭部發燒，面赤耳熱，很不舒適，以前報載胡漢民死在麻將桌上，可能就是坐得太久，神經緊張，引起腦充血中風而死。

四是不著迷於任何娛樂活動：我的興趣很廣，對打球、音樂、電影和釣魚等都有興趣，但不是球迷、歌迷、和釣魚迷。

五是不諱疾忌醫：我一九四八年到美國求學之前，深受病魔之苦，故對身體健康特別注意，一有病痛即求醫診治，以防惡化，成爲痼疾。

六是不服安眠藥：西藥絕大多數都是化學製品，對特定病情很有效，但常有副作用，更可能會有毒素，常服會對人體的某部位造成傷害，安眠藥也是如此，我的亡妻自己是醫生，她動過幾次婦科手術，因荷爾蒙失調而失眠，每晚要服安眠藥，日久成習，到後來甚至要服鎮定劑才能入睡，以至她六十八歲那年，突患腦溢血而成爲植物人，我問腦科醫生，何以腦血管會變薄而溢血，他說無人確知，我想大概是因服用鎮定劑過多，而使腦微血管變薄起泡而溢血，所以我對安眠藥懷有戒心。

在「有所爲」方面，就是每天和每年必做的保健事項，有如下述：

我每年必做的祇有兩項，第一項是打流行性感冒預防針（Flu shot），凡生過流行性感冒的人，都知道非常痛苦，對老年人和體弱的人特別危險，打預防針可以有百分之七十的防護效力，因爲流行感冒的病毒種類很多，配製疫苗不可能預知所有的病毒，能夠防止百分之七十，已相當有效，可增強免疫力，安度流行性感冒最猖獗的冬季。第二項是每年做一次健康檢查，由醫生做各種測試，查看有無新病情發生，舊疾是否惡化或好轉，以作預防或治療的決定。

每天必做的事項就比較多，第一是起居有定時，在退休前，必需按時上班下班，自然有較規律的生活，退休後不受時間限制，可以隨心所欲，自己支配時間，但我仍按時起床和就寢，三餐也維持一定時間，不暴飲暴食，所以睡眠充足，精神良好，也少有腸胃病，有研究報告指出，最主要的睡眠時間是午夜十二時，到清晨二時，若在這兩個小時內熟睡，即可消除疲勞，其餘的睡眠時間，則多在作夢，腦不能完全休息，因此熬夜對身心兩方面都有害無益，我一生經過的各種考試不計其數，但從不因應付考試而開夜車，考試結果都相當滿意。

第二是運動：我認爲凡能消耗熱量（卡洛里 Calorie）的一舉一動，都是運動，概括來說，可分爲兩大類，一類是生產性的運動，農人耕田種地，工人胼手胝足，居民種花除草，清潔打掃等等，都是一種運動，也可以說是寓運動於生產的運動，我對這種運動已習以爲常，並不覺得辛苦。另一類是一般人所說的運動，如打球、體操、打拳、游泳、步行等等，在我年輕時代，全部都做過，到了中年以後，則逐漸減少，最近二十年，每天必做的祇有兩項，即起床前做四肢運動，和就寢前一小時左右做氣功運動，各約二十五分鐘。床上四肢運動是我自己編的，仰臥和側臥，手臂上下左右轉動各二十至三十次，側臥時，腿伸縮各二十多次，使各關節鬆軟而不致僵硬作痛。至於氣功運動，則是學習得來，我曾學過太極拳、少林拳和數種氣功，最後選擇了龍游功，每天夜間練習。龍游功又名高雲氣功，是高雲女士從青島到美國來開班傳授的，分爲動功與靜功兩部份，動功包括龍抖濁、龍滾浪、龍擺尾、龍分海、龍獻珠、龍擺浪、龍托月和龍游水等八個架式，每個架式，各重複四十五次至一百次，可調節長短，以符合自己的需要，到身體感覺發熱時最爲適當。靜功包括降氣和氣入丹田兩項，都是在靜默中完成，各約三分鐘左右，最後以搓手擦頸上下拍腿結束，連續做共約二十五分鐘。龍游功的優點，對我來說，有兩個方面，一是動作簡單，容易記憶，二是不需要移步走動，有一席之地即可，所以在家中的臥房、旅館中的客房，和遊船上的艙房內都可以做，非常方便，因此我天天做，獲益匪淺。

第三是注意飲食：中國有句「病從口入」的名言，不僅是指不清潔和帶有病毒的食物會引發疾病，一般的食品也會有副作用，對人體的某一部位或某一器官造成損害。最顯著的例子是雞蛋的蛋黃，它含有很多營養素，對成長時期的兒童和青少年非常有益，但對老年人，尤其是患高膽固醇疾病的人來說，蛋黃所含的膽固醇極高，會加重病情，爲了防止膽固醇增高，我已二十多年不吃蛋黃，而祇吃蛋白，其他含高膽固醇的食品如心肚肝腦等內臟，我也不吃。此外，我有輕度糖尿病，除服西藥加以控制外，對含糖成份稍多的食品，也盡量避免，因此我去商店購買食品時，都要看食品成份標籤上是否有膽固醇和糖的份量，同時也注意選購對健康有益的食物，如可以降低膽固醇的燕麥片（Oats），不含飽和成份的橄欖油、蔬菜與水果等，至於肉類，我比較多吃魚、雞和瘦豬肉，而少吃牛排和牛肉，而且每次吃的份量都不多，每天少吃多餐，以防血糖增高。

第四是慎選食物補充劑：顧名思義，食物補充劑的作用，就是補足身體所需要的營養成份，一般人所說的補藥也包括在內。縱觀中文報紙雜誌，推銷各種補品的廣告，形形色色，說得天花亂墜，好像都是萬應靈丹，其實很多都是假借未經政府鑑定證實的研究報告，或民間傳說加以利用，賺取暴利的商業行爲，我都不相信。我相信的，是我常吃和有需要時服用的一些成藥或食物補充劑（有些由香港和中國進口美國的中藥成藥，因爲不能通過美國食品與藥物管理局的檢驗核准，都不能稱爲藥品，而祇能叫食物補充劑），爲數不多，茲簡略介紹如下：

多種維他命與礦物質丸：這是我每天與早餐同吃的食物補充劑，有些醫生說，祇要吃蔬菜、肉類、水果和果仁等食品，就可獲得足夠的維生素和礦物質，問題是除非你有營養師替你配食單，否則就很難做到，而且營養師配的菜飯未必可口，所以我認爲每天吃一顆多種維他命和礦物質也是必要的，我服用這種藥丸，已有三十多年。

骨節增益丸（Joint Advantage）：這是慢性治療膝痛的藥丸，必須長期服用，才能見效。事緣二○○○年，我們去東地中海旅遊，途經紐約，老同學許品帶我們去參觀帝國大廈、世貿大廈、紐約證券交易所、及其他名勝，步行很久，當日我沒有穿走鞋，回去後即感覺膝痛，到了船上逐漸惡化，參觀古希臘遺跡時，痛得更加厲害，回家時已痛得難忍，祇好打針止痛，並開始服用專治膝痛的營養補充劑格羅科沙命（Glrocosamine），經過五個多月，稍有效果。有一天接到一份推銷傳單，聲稱骨節增益丸較格羅科沙命更爲有效，而且無副作用，是威廉斯醫生（Dr. David Williams）自己的配方。據他說，格羅科沙命對膝關節有療效，但有些人的胃不能吸收，他自己的配方包含多種在澳洲生長的草藥，這是他去澳洲旅遊時，發現當地的原住民（Aboriginals），八十多歲仍健步如飛，他研究後始知他們常食用一些草藥，沒有膝痛的症狀，因此他把這些草藥和其他成份合製成骨節增益丸，後來又加上格羅科沙命，其作用是使受磨損的膝蓋軟骨增生，使骨節間的潤滑液增加分泌，俾大腿骨和小腿骨不致互相摩擦而引起痛感。我認爲他的解說很有道理，就天天服用這種丸藥，已有六年多歷史，膝痛早已消失，但爲防止復發，我仍減半繼續服用。

視力保健丸（Vision Essentials），這是惠特克醫生（Dr. Julian Whitaker）自己的配方，

其成份較眼科醫生給我的視力滋補劑樣品更多，包括維他命A、維他命C、鋅、銅及其他由多種植物提煉出來的元素，我每天服用，已有數年，對視力的維護，有相當效果。

以上三種是我每天服用的食物補充劑，至於有需要時服用的食物補充劑是兩種價廉而有效的中藥，其一是香港和廣東人常飲用的涼茶，內含多種草藥，須加水熬成湯藥，其味苦澀，但對清火袪滯甚爲有效，我每有喉痛、口乾、大便燥結等症狀，祇須服一兩劑，即可見效。其二是「保濟丸」，這是香港製造的成藥，對消化系統疾病，頗爲有效，我每有食滯、消化不良、肚脹等症狀，服此藥丸，即可得到舒解。

第五是通便：便祕不僅使人煩惱，也對身體有害。因食物與飲料都可能含有或多或少的毒素（taxin），若不將它們由大便排出體外，而讓其進入各種器官，就會引起病變，所以每天必需大便，把它們排洩出去。要使大便暢通，必須有適當的水分，足夠的纖維和大小腸的蠕動，我每天都喝清茶或瓶裝水，不喝咖啡，也很少喝可口可樂之類的飲料，吃富含纖維的麥類、蔬菜和水果，也經常運動，所以很少有便秘的問題，若一天無大便，即加吃生菜和水果，除非不得已，才服輕瀉劑。

第六是牙齒保健：天生的牙齒是很珍貴的，對身體健康也很重要，必須盡可能加以保護，以免牙痛和脫牙之苦。我離開中國前，從未去過牙醫診所，雖然知道刷牙有好處，也不知刷牙的正確方法，當時一般人都是在起床後先洗臉刷牙，然後去吃早餐，而且每天祇刷一次，其效果幾等於不刷，因刷牙的主要目的是保持牙齒和口腔清潔，使齒齦得到摩擦，而保持良好，若在飯前刷而在飯後不刷，安能保持牙齒與口腔清潔，以防牙齒被酵素侵蝕。說來慚愧，我到三十六歲那年，因牙痛才第一次去看牙醫，將鬆動的兩顆牙齒拔掉，裝了假牙，從此開始，我才逐漸學習和改進刷牙的方法，最近十年，我沒有牙痛之苦，除裝了幾顆假牙外，我的天生牙齒仍保持完好，牙醫都給我好評。我的方法是每天早餐和晚餐後都刷牙，用的是電動牙刷，在刷牙前，先用含有殺菌成份的漱口水含漱約二十秒鐘，才開始刷，牙醫建議要刷兩分鐘，不僅刷牙齒，也要刷齒齦，我都照做，結果很滿意。

第七是避用藥物防治老年病：大多數的西藥都有副作用，能夠少服就少服，能夠不服而採用其他方法來防治更好。在我經歷過的嚴重病痛中，有兩種就是避用藥物來防治，其一是五十肩，這是中年以後可能發生的病症，西醫叫做 bursitis，是肩骨與肩筋的穴竅發炎所致，手臂移動時，即痛得難忍。我得此病後，即去找骨科醫生治療，他給我打止痛針和吃止痛藥，同時要我去醫院接受物理治療（physical therapy），並要我在家中拉滑車和用掃帚柄協助手臂作伸張運動，經過約三個月的努力，果然好轉，從此我就經常作肩部運動，至今五十肩未曾復發，有人告訴我曾患此症，我都建議他們照做，結果都很滿意。

另一種不需藥物即可防治的病痛是小腿抽筋，這是老年人可能有的病症，發作時非常痛苦，一般醫生都用奎寧（Quinine）防治，但奎寧服用多了會影響聽力，若能找到其他方法防治更好。我猜想小腿抽筋，可能是小腿和足部的肌筋受冷收縮變硬所致，於是開始試驗，在就寢時，腿部和足部加蓋毛毯，使其保持溫暖，試行之後，果然有效，從此即少有小腿抽筋的痛苦。

以上所述，是我在日常生活中維護健康的一些作爲，有的是學習來的，有的是自己嘗試得來的，以我現在的年齡，還能享受比較正常的生活，都是得力於此。

綜觀我的一生，因先天體質虛弱，童年和青少年時代處境欠佳，常常生病。有一高中同學曾嘲笑我說，你應改名叫汪去病。但我身體雖弱，卻有堅強的意志力，不肯向現實低頭，經過幾十年的努力奮鬥，終於有所收穫。事實證明，在我的衆多同窗友人中，當年身強體壯的，多已作古，而我這個早年多病的，反能延年益壽，是天命呢？還是人爲所致，就不難理解了。

第二十三章　逃過大難

俗語說：「天有不測風雲，人有旦夕禍福」。這就是說，許多意外的事都可能隨時發生，無人能夠預測。我的一場大病，就在二〇〇八年六月底發生。同年四月，我們從南美洲旅遊歸來，慢慢覺得沒有食慾，而且先後幾次驗血，都有貧血現象。接著淑芳發現我用的馬桶底部出現淡黃色的班痕。這些具有內出血的象徵，我們都沒有重視，也很久未去作腸胃檢查。直到六月二十八日開始便血，才引起我們的高度關注。六月三十日去吳義博醫師診所急診，發現直腸大量出血，立即住進醫院，請腸胃科醫生作詳細檢查。結果發現大腸多處出血。除立即輸血補充外，並請外科與心臟科醫生會診，以決定治療方案。由於輸血六小袋後仍繼續出血，乃決定動外科手術，將大腸全部切除，於七月四日進行。

這次是全身麻醉，直到甦醒過來，始知手術已經完成。我身上插有三根管子，有打點滴的、排尿的和供氧氣的。全身難以動彈，而且失去大腸後，無法吸收體內水份，每隔兩小時左右，就得起床大便，腹脹而傷口又痛，眞是痛苦不堪。動手術後的第二天，即須按照醫囑，下床走路，以加速療傷過程，雖痛楚難忍，也只得勉力爲之。如此過了約十天，直到通氣（即放屁），始稍覺舒解，有人戲言，動腸胃科手術後，「一屁值千金」，這也許是大多數病人的感受，我也有同感。

在醫院住了兩週，猶如度日如年，傷口癒合後即出院，轉到一復健醫院療養，繼續接受全天二十四小時醫護照顧。拆除打點滴管後，開始進食，但對復健醫院的西餐毫無胃口，勉強下嚥，常有欲嘔不能的感覺。再者，腹瀉每天六七次，傷口繼續作痛，雖不斷服藥，亦未消失，相當痛苦。好在復健工作人員，每天給我做兩次復健運動，體力得以逐漸恢復，過了三週，就讓我回家調養。由一物理治療公司派員到我家爲我做復健治療，每週三次，我也每天自己做復健運動，體能與食慾皆大有增進。到現在爲止，雖尚未完全康復，一場大難總算逃過，至感幸運。

這次大難不死，在病床上掙扎時，頭腦一直清醒，日思夜想，有不少感觸與領悟。最主要的有下列幾點。

第一，我對內出血的徵兆未加重視，致使病情惡化，是一大疏失。奉勸讀者勿蹈我的覆轍，一有異常現象，即須從速延醫診治，以免耽誤。

第二，我的病情相當嚴重，大腸流血不止，若不動手術切除，即有生命危險。我的心臟若不夠強壯，則不能動手術，而我的心臟之所以強壯，則是得力我一向對健康的重視，能有此成果，實爲得來不易。

第三，在整個治療過程中，我聽天由命，不驚慌、不畏懼動手術。並預知要承受不少痛苦，要做許多生活調整，才能逐漸好轉，沒有奢望，所以能夠心平氣和，忍受痛楚，而不怨天尤人。

第四，家人和親戚朋友的照顧、支持與關懷，非常重要。不僅可協助減輕痛苦，改善心情，還可加速復健過程。在我住院期間，淑芳每天三次前來照顧，有求必應，女兒敏慎多次遠道前來探視，並與主治醫師們接觸，瞭解病情。五弟汪瑋夫婦每天必來看望，多位友人親臨問好，送花、送咭或送食品。這些對我有很大的鼓勵，對我的復健有很多助益。

俗語說：「不經一事，不長一智」。我經此一大難，增進了對人生的認識，也可以說是一種收穫。